幻獣ムベンベを追え

高野秀行

集英社文庫

この作品は、一九八九年、ＰＨＰ研究所より
『幻の怪獣・ムベンベを追え』（早稲田大学探検部）として刊行されました。

幻獣ムベンベを追え◎もくじ

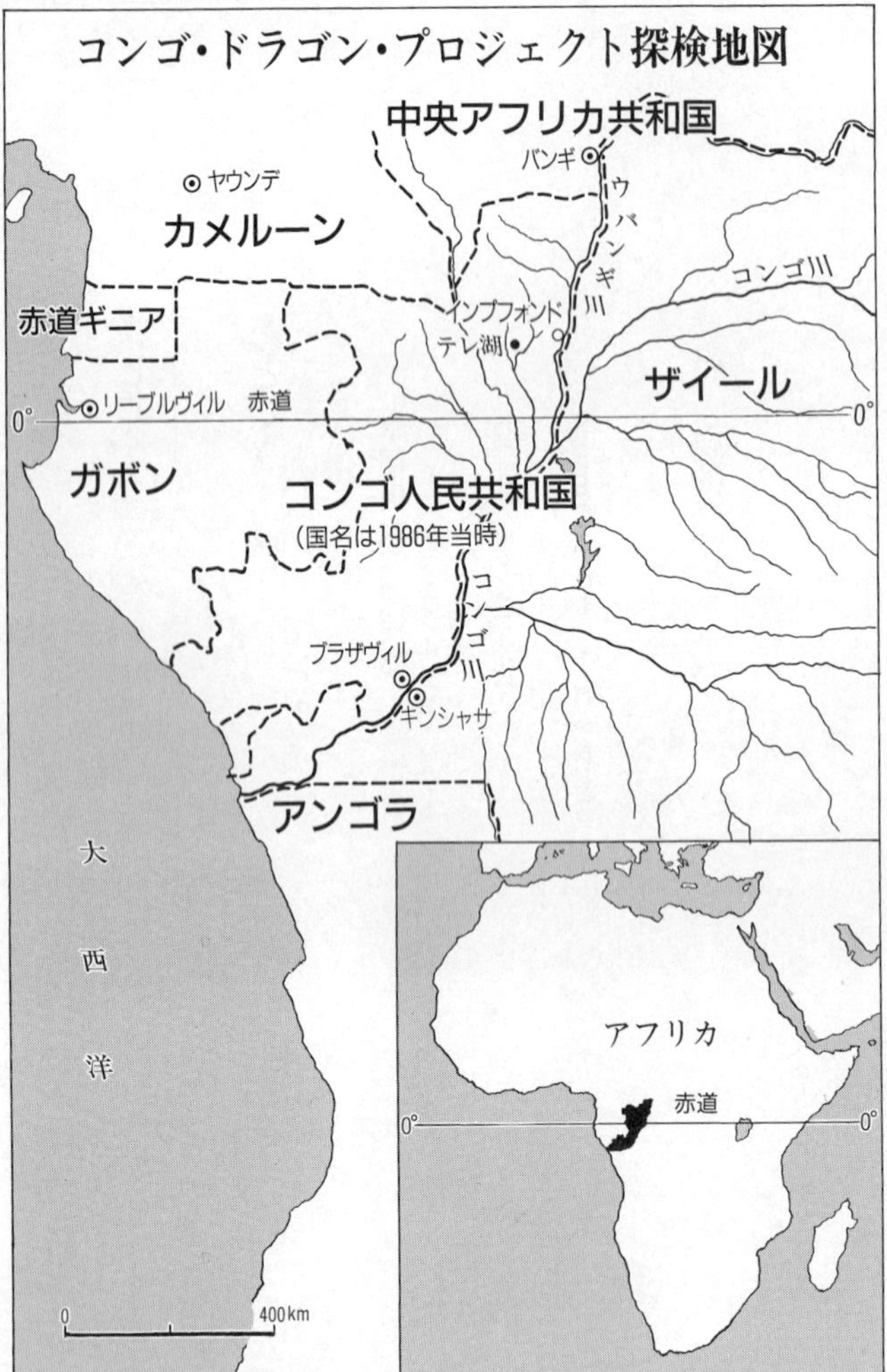

コンゴ・ドラゴン・プロジェクト探検地図
中央アフリカ共和国
バンギ
ウバンギ川
ヤウンデ
カメルーン
コンゴ川
赤道ギニア
インプフォンド
テレ湖
ザイール
リーブルヴィル
赤道
0°
0°
ガボン
コンゴ人民共和国
(国名は1986年当時)
コンゴ川
ブラザヴィル
キンシャサ
アンゴラ
大西洋
0
400km
アフリカ
赤道
0°
0°

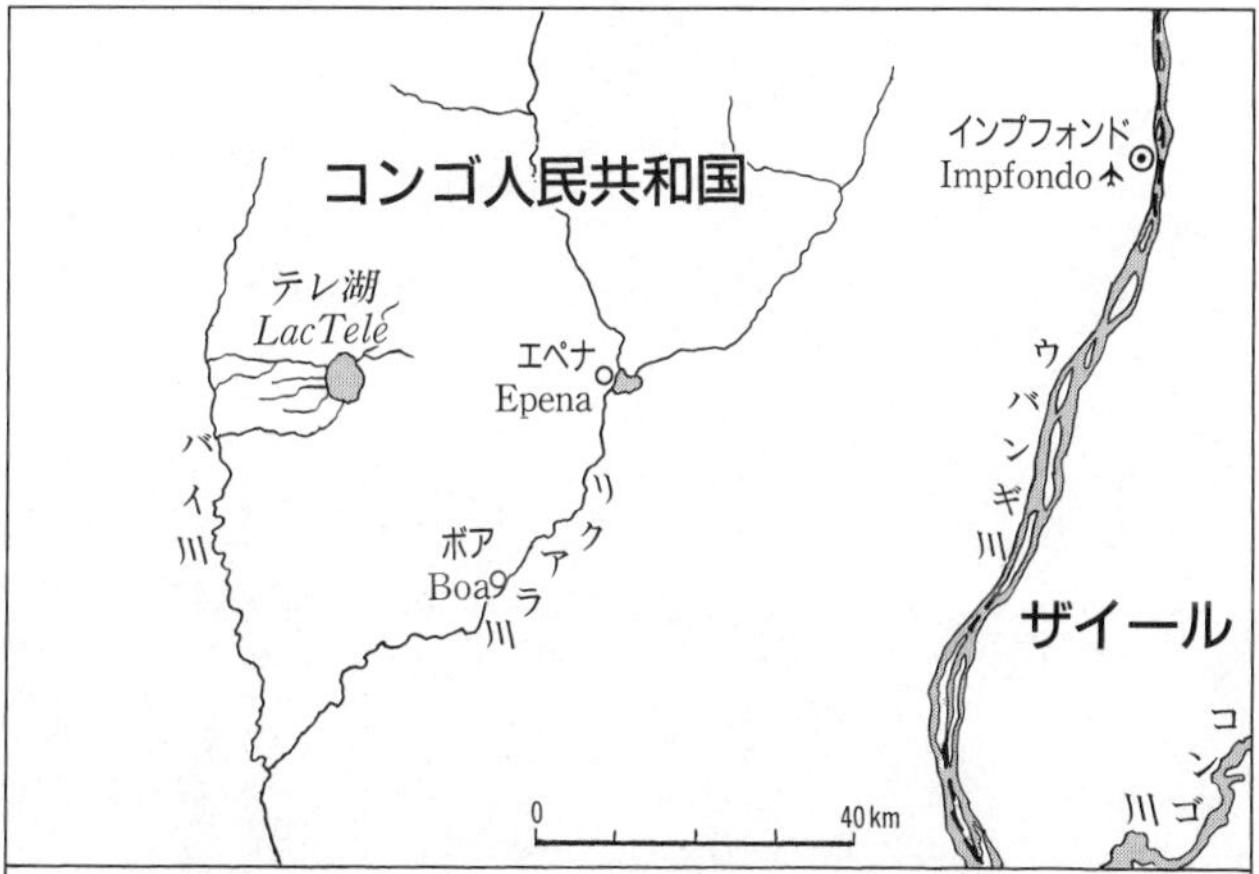
コンゴ人民共和国
インプフォンド
Impfondo
テレ湖
LacTelé
エペナ
Epena
バイ川
リクアラ川
ボア
Boa
ウバンギ川
ザイール
コンゴ川
0
40km

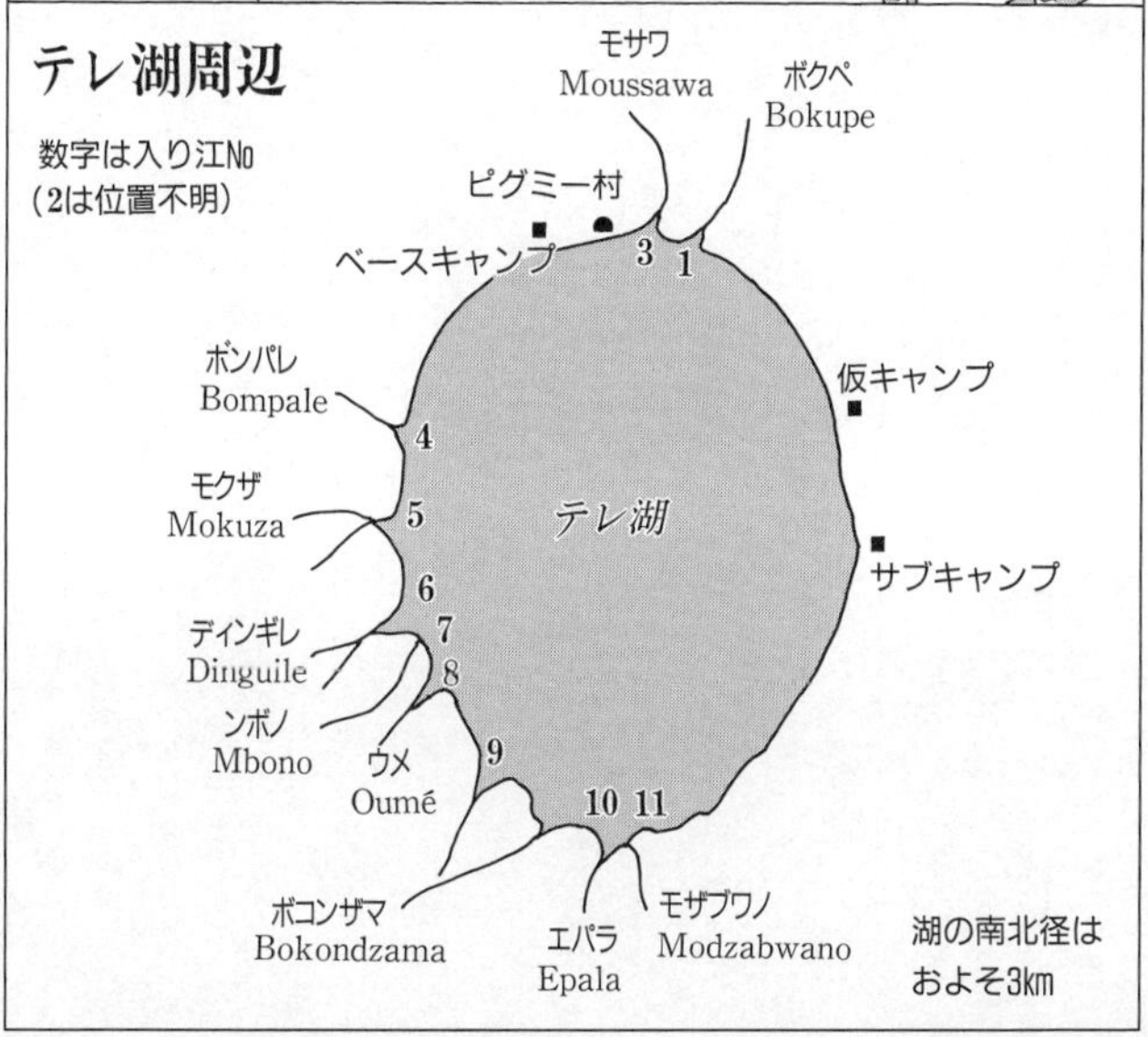
テレ湖周辺
数字は入り江No
(2は位置不明)
モサワ
Moussawa
ボクペ
Bokupe
ピグミー村
ベースキャンプ
3
1
ボンパレ
Bompale
4
仮キャンプ
モクザ
Mokuza
5
テレ湖
サブキャンプ
6
ディンギレ
Dinguile
7
8
ンボノ
Mbono
ウメ
Oumé
9
10
11
ボコンザマ
Bokondzama
エパラ
Epala
モザブワノ
Modzabwano
湖の南北径は
およそ3km

地図作成／高木　守

プロローグ

怪獣ムベンベが棲む神秘の湖・テレ湖

深夜のミーティング

「えーと、それでぼくたちは怪獣を探しに行こうと思ってます」

順番が回ってきたとき、私は言った。

「アフリカの赤道直下にコンゴ人民共和国という国があって、その奥地の熱帯ジャングルの真ん中にテレ湖という湖があります。そこに怪獣がいるらしいんで、ぼくたちはそれを見つけに行くんです」

みんなは身じろぎしないでそれを聞いている。私の話に興味をひかれたのか、それともただ疲れているだけなのか。時計はすでに夜中の一時をまわっている。

一九八六年十一月、探検部恒例の一泊ミーティングが武蔵野《むさしの》のとある公共施設で行われた。これは、部員全員が一年に一回、部の諸問題を徹夜で議論しようというものだが、何を話していても必ず最終的には、「探検とは何か」というあまりにも根本的かつ困難な壁にぶち当たってしまい、さんざん論じ合った末、なんの結論も見ないまま、白々と朝を迎えるという仕組みになっている。

さて、この年は、最近、部がどちらかといえば小規模な活動に終始しているという反省から、なにか部全体の中心テーマを持つべきだという提案がなされていた。〝チベット遊牧民探査〟〝タイの山岳民族調査〟などがその候補として挙げられていたところへ、当時二年生の私と高橋洋祐《たかはしようすけ》が、全く新しい計画をもって、しゃしゃり出ていったのである。

私は説明を始めた。

怪獣の名は、通称コンゴ・ドラゴン、本名モケーレ・ムベンベ（これは現地語で〝水の流れをせき止めるもの〟の意味だそうだ）、年齢不詳、おそらく太古の昔より棲息《せいそく》していると思われる。現地の人々は古くからその存在を信じており、一種の魔物として恐れているという。

この怪獣はコンゴのこのテレ湖以外でも広く見られており、ヨーロッパの文献にも早い時期から登場している。一八世紀後半、フランスのキリスト教伝道団が、九〇㎝もある大型動物の足跡を発見したのをはじめ、「茶色がかった灰色の長くしなやかな首をした動物を見た」（一九一三年）、「巨大な蛇がカバを殺したあと、首を伸ばして岸辺の草を食べていた」（一九三〇年）など、多数の目撃報告がある。

それらの証言を総合すると、長い首、長い尾、太い胴、ゾウのような四肢、体長一〇～一五m……どうもネス湖のネッシーのような恐竜像が浮かび上がってくるではないか。

しかも、このコンゴのジャングルは、世界で最も氷河期の影響が少なかった地域だという。

「なかでもテレ湖は『ネス湖よりずっと恐竜生存の可能性が高い』と世界中の学者・探検家の注目を集め、つい最近のことですが、一九八〇年代にはいってからは、いくつもの探検隊がこの湖に挑戦しています……」

私はそこで言葉を切った。話しながら自分自身が興奮していくのを抑えきれない。しかし、努めてさりげない口調で続けた。

「そして、複数の探検隊がこの怪獣をはっきりと目撃しているんです」

まず、一九八一年、シカゴ大学のロイ・マッカル博士（この人はネッシー研究の第一人者でもあり、インディ・ジョーンズが年老いたような人物であるらしい）がテレ湖を目指すが、悪条件が重なり失敗。しかし、途中の川で何か非常に大きなものが水に跳び込む音とその波紋に遭遇する。また、彼は付近の村で数多くの目撃談を収集している。

同じ時期、別のルートから挑戦した、アメリカ人のハーマン・レガスターズ（元ＮＡＳＡ所属の航空宇宙技師という）の一行は、見事テレ湖に到達、一か月の滞在中、再三にわたり怪獣を目撃したのである。そこで私は、あまりに衝撃的な目撃事件を一つ報告書通りに読み上げた。

「最も接近した出現は十一月二十八日に起こった。

湖の最北での最後の巡回の途中でＨ・レガスターズとＫ・レガスターズは入り江間の水

が深い所へ船で乗り出した。南西の方向を見ると三〇ｍぐらいの距離に太い首が水から突き出ているのにＫ・レガスターズは驚愕《きょうがく》した。色は薄い灰色、肌はすべすべして強い日光にあたってきらきらと輝き、首は約二ｍの高さに伸びていた。水面と接触している部分で首の太さは四五㎝ぐらいに見積もられた。そして、首の先端にはヘビのような小さな頭がついていた。すぐ近くの周囲を観察するかのように両側を見ると、それは素早く水の中へ真《ま》っ直《す》ぐに潜っていった。この動物は、明らかに船とその乗組員に気が付いたと思われたが、攻撃する様子は全くなかった。船は無事に再び発進した。その後この日にはそれが現れる徴候は全くなかった」

レガスターズ隊の目撃談の生々しさに、「本当かよ!?」と言いたげな視線が他の部員から私に向かってバシバシ飛んでくる。気持ちはわかるが、もう少し聞いて欲しい。

「そのときに撮った、水中に潜る寸前の怪獣の写真がこれです」

笑い声が湧《わ》き上がった。みんなの手元には、高橋によって拡大されたその写真のコピーが配られている。水面に黒い影のような固まりが浮いているだけで、これが生き物なのか小さい島なのかヘドロなのかすらわからない（どうしてこの手の写真はいつもこう曖昧模《あいまいも》糊《こ》としたものなのだろうか）。

次の証拠。レガスターズ隊は一か月の滞在中、何回も謎《なぞ》の動物の吠え声を聞き、それを録音した。

「アメリカの研究所で声紋分析をしたところ、それは、他のいかなる動物のものでもない未知の大型動物の声であることが判明しました」

それだけではない。レガスターズ隊の二年後、一九八三年、今度はコンゴ政府による調査隊がテレ湖を訪れ、隊長であるマルセラン・アニャーニャ博士が怪獣を目撃する。大きな背と長い首が水面上に浮かんでいたという。

アニャーニャ博士はコンゴ動物学の第一人者で、テレ湖周辺のジャングルに最も精通している人物だが、その彼が「恐竜と断言はできないが、私が全く見たことのない動物であったことだけは確かだ」と述べているのだ。

「というわけでモケーレ・ムベンベは今やネッシーなどをはるかに超えて、世界中の未知動物研究者から熱い注目を集めているんです」

と私は締めくくり、みんなの顔を見た。

やや興奮した面もちの者、はじめからあきれかえっている者、笑い声をあげる者など、反応は人それぞれだったが、部全体に大きなインパクトを与えたことだけは確かだ。

なぜなら、この怪獣を探しにアフリカの奥地へ行くとなれば、これは誰が見ても明らかな〝探検〟であり、答えのないわれわれの議論に終止符を打つことになるからだ。

さあ、どうだ、この探検計画に文句がつけられるか！

さっそく、文句（？）が乱れ飛んだ。「本当にそんなところへ行けるのか」「資金はどうするのか」「入国の許可はとれるのか」……。

たちまち私は途方に暮れた。共同提案者である高橋も「いやあ、あはは……」と笑ってごまかしている。

実を言うと、現実的なことはまだ何一つ考えていないのだ。私も高橋も、海外遠征の経験などもちろんなく、どこから手をつけていいかさえわからない。私は正直に、しかし少し格好つけて答えた。

「具体的な方法論については、これから検討します」

そう、まだ始まったばかりじゃないか。

事の起こり

初めてコンゴの怪獣のことを知ったのは、その年（一九八六年）の春のことである。

「駒澤《こまざわ》大学探検部がアフリカに怪獣を探しに行った」という話を聞いたとき、私も高橋も思わず笑い声をあげた。世の中にはバカなことをする人がいるんだなと単純に感心した。感心して普通はそれで終わりなのだが、なぜかそのときに限ってもっと詳しく話を聞きたいと思った。

ちょうど私たちは二人とも刺激的なインドへの旅から帰ってきたばかりで好奇心がいつ

になく旺盛であったし、探検部員としてはやっと二年目にはいったところで、何か面白いことがしたくてしようがない年頃でもあった。特に、私は「次はアフリカへ行こう」と思いこんでいた。

とにかく、それから数日して、私たちはオンボロアパートにある駒大探検部の部室にコンゴ遠征隊副隊長の水口公司《みなぐちこうじ》さんを訪ねた。怪獣を探しに行ったというから、どんな人かと思っていたが、意外に落ち着きのある人なのでやや安心した。これならマトモな話が聞けそうである。

その水口さんの話によれば、最初にこの計画を考案したのは、彼の一つ先輩にあたる木《き》村浩行《むらひろゆき》さんという人だったという。

『リーダーズダイジェスト』でマッカル博士のモケーレ・ムベンベ探検の記事を読み触発された木村さんは、一人で関係資料を少しずつ集め、コンゴ遠征の夢を抱《いだ》いたが、ほどなくして、群馬の水上峡《みなかみきょう》をゴムボートで激流下りしている最中に川へ投げ出され、そのまま不慮の死をとげてしまった。

木村さんの遺志を継ごうと、彼と同期の野々山富雄《ののやまとみお》さんと水口さんが怪獣探検計画に立ち上がり、一年間のアルバイトで金をため、いよいよコンゴ遠征へ出発したのが、ちょうど私たちがインドに出発したのと同じ頃である。

〝コンゴ遠征隊〟といえば響きはよいが、実際にはかなり悲惨な旅だったらしい。隊員は、隊長の野々山さんと副隊長の水口さんの約二名、装備はほとんどキャンプ道具一式のみである。

コンゴは日本と国交がなく、お互いに大使館の類《たぐ》いが全くない。それで、水口さんたちはフランス経由で隣国の中央アフリカ共和国に行き、苦労の末、コンゴの短期観光ヴィザを取得、ようやくコンゴに入国した。

首都のブラザヴィルから飛行機で、北部のインプフォンドという比較的大きな町まで行ったのだが、それ以上先へ進むには「入域料」なるものを払わなければならない。彼らはそんな金を用意していなかったし、ヴィザもきれたので、そこで遠征を断念し引き上げたのだった。

全くパイオニアとは徒労をいとわない人のことを言う。

「金もそうだけど、湖に行くのもなかなか大変らしいよ」

と言いながら、水口さんは地図を広げた。

「インプフォンドからエペナという村までの約一〇〇㎞は道があるっていうけど、その後は丸木船で川を進まなきゃならないみたいだ。また一〇〇㎞くらい行くとボアというテレ湖に最も近い村がある。そこから今度はジャングルの中を六〇㎞歩かなきゃならないし、最後の方はひどい湿地帯らしいよ」

私は目の前に広げられた地図に見入った。驚くほど情報量の少ない地図だった。曲線を描いた無数の青い川と一面緑色に塗られたジャングルしかない。緑色のところどころに青色の斜線が重ねられており、それが湿地帯を表す。青色の斜線が集まっているど真ん中にまん丸い湖があった。それがテレ湖だった。

ここに、謎の怪獣モケーレ・ムベンベが棲《す》んでいるのか……。

帰り道、歩きながら高橋が言った。

「こりゃ、おれたちが子供の頃あこがれていた怪獣探検そのものじゃないか」

「今だってあこがれているよ」

と私は言った。高橋はうなずいた。二人は少しやる気になっていた。

「コンゴへ行こう」

山へ登ったり洞窟《どうくつ》に潜ったりしているうちに春が過ぎ夏が過ぎた。

その間、私たちは少しずつ動いていた。

まず、水口さんの紹介で高林篤治《たかばやしとくはる》さんに会った。この人は普通の勤め人ながら、未知の怪獣に興味を持っており、コンゴ・ドラゴンについても、「十年も前から探しに行きたいと思っていた」とのことである。

変わっている人もいるものだと思ったが、何と「国際未知動物学会」という世界中の怪獣の調査を目的としている学会があることを彼から聞き、二度驚かされた。上には上がいるものだ。コンゴ・ドラゴン（モケーレ・ムベンベ）の発見は、ネス湖のネッシーと並び、この組織の一大テーマとなっている模様である。ネッシーと並び称されるとは、たいしたものだ。

高林さんに資料をもらう。すでに水口さん、超自然現象研究家の南山宏《みなみやまひろし》さんからも資料をもらっており、だんだん情報が集まってきた。ただ惜しむらくは、それらはみな英語かフランス語で、読んでもさっぱりわからないことである。

しかたないので、それを片っ端から翻訳し始めた。すぐに熱中した。今まで知らなかった事実、詳細な情報、専門的なデータが続々と登場するのだ。

それらを読んでいると怪獣がまちがいなく存在するとしか思えなくなる。しかし、また一方で、この二〇世紀も終わりに近づこうというときに、恐竜にしても他の未知の動物にしても、何らかの謎の生物が生き残っているなんてまずありえないと思うくらいの常識はさすがの私にもある。

わけがわからん、と私は思った。

何事にも真実があるはずだ。ウソをついている人がいるのか、見間違えた人がいるのか、それとも世界の大多数の人間がその動物の存在に気づいていないのか、あるいはその他にもっと奇想天外な原因があるのか。

私は本当のことが知りたくなった。しかし、この日本で人の話や報告書を読んで何がわかるというのだ。自分で現実を見に行くのがいちばん手っ取り早い。

「コンゴへ行こう」と高橋を誘うと二つ返事でOKした。

彼は少し前から岩登りに熱中しており、いずれは南米の秘境ギアナ高地の絶壁を登りに行くつもりらしいが、その前に怪獣探検を一度やってみたいと言う。いつもニコニコして誰からも好かれ、私と同様たいへんな楽天家である。

〝極楽トンボ〟と評判をとる私たち二人だけでは部内でも相手にされないので、誰でもいいから仲間を増やそうと思い、同期の金子《かねこ》拓哉《たくや》と村上《むらかみ》東志樹《としき》を誘った。

金子ほど「努力」とか「根性」という言葉が似合わない人間も珍しい。自分の好きなことを好きなようにやり、嫌いなことは決してやらないというポリシーを持つ。中国旅行二回、専門は川下りである。一方、村上は、理工学部で数学を専攻している変わり種。人生について常に悩んでいるのだが、現実の生活ではメチャクチャになってしまう、太宰《だざい》治《おさむ》の現代版みたいな男である。洞窟のスペシャリスト。

現実的にあまり深く事を考えない二人はあっさりと参加を表明。極楽トンボが四匹に増えただけという感もあったが、頭数をそろえた私たちは一泊ミーティングに自分らの計画を提出したのである。

コンゴ・ドラゴン・プロジェクト発足

年が明け、一九八七年、正式に「コンゴ・ドラゴン・プロジェクト」（ＣＤＰ）が発足、われわれは本格的に始動した

私はまずフランス語の勉強に熱を入れた。コンゴは旧フランス領であるため現在も公用語はフランス語で、英語はほとんど通じないと聞いていたからだ。私は辞書さえあればある程度は読めるのだが、会話は全くできない。

困っていたところ、ある日電車に乗っていると隣の座席にすわった若い女性がフランス人であることに気づいた。後でわかったことだが、彼女はちょっとは知られた日本の前衛パフォーマンス集団のメンバーであった。私はその場で彼女にフランス語を教えてくれるように頼みこんだ。

おかげでだんだんフランス語らしいものが話せるようになったが、それだけではなく、後に彼女のつてでコンゴへの重要な中継地点であるパリに拠点ができ、大いに助かることになる。

二月、次年度の探検部幹事会が発足。どういうわけか私が幹事長、高橋が副幹事長となる。また、向井《むかい》徹《とおる》、船越《ふなこし》通暁《みちあき》がＣＤＰ参加を表明。時代はまさにコンゴ・ドラゴンである。

われわれはミーティングを行いながら、情報収集に努めた。あちこちの図書館、古本屋に足を運び、アフリカの文献を読みまくった。が、サハラ砂漠、リビングストンなどの探検家の生涯、ザイールやアンゴラの内乱とかに詳しくなるばかりで、いっこうにコンゴについての記述に出会わない。日本語での情報は皆無に等しかった。

日本とコンゴというのは民間レベルでの交流も全くないらしく、コンゴには日本の商社が一つもなく、また、コンゴをフィールドとする動物学・人類学の日本人研究者もいない。いくらアフリカの小国とはいえ、これだけの無関心は珍しい。

しかたなく、フランスからコンゴに関する詳しいガイドブックを取り寄せ、それを読み進めるうちに、おぼろげながらそのイメージが浮かんできた。

資源も産業もない人口二〇〇万人たらずの小国だが、社会主義のうえに軍事独裁政権というがんじがらめの状態で、外国人をあまり国に入れたがらないらしい。

特にテレ湖があるリクアラ地区という地域は、ヨーロッパ人の学者すらほとんどたいした調査を行っておらず、怪獣はおろか、人々がどういう暮らしをしているのか、ジャングルにどういう動物がいるのかさえ、しかとわからないくらいだ。

これほど〝探検〟という言葉が実感を持ってくる場所もそうそうあるまい。とはいうものの、果たしてこんなところへわれわれのような弱輩者集団が長期にわたって探検活動が行えるのだろうかという当然の疑問がもくもくと湧き起こってきた。さて、どうしよう？

困ったときは、単刀直入に動くべし。

「来年（一九八八年）の春にテレ湖へ行きたい」という手紙を、私は、コンゴ政府の森林経済省動物保護局に所属しているアニャーニャ博士に直接送った。

二か月程して返事が来た。自分の家のポストにコンゴ消印のエアメールがはいっているというだけで感激した私だが、中味を読んで驚いた。

「日本のテレビ局からも同じ時期にテレ湖遠征の申し込みがあったので、合同にするか、時期をずらすかして欲しい」

とあるではないか。

調べてみると、テレビ関係の企画会社に所属する長井健司《ながいけんじ》さんという人が、「コンゴ・ドラゴン」をドキュメンタリー番組の企画として、あるテレビ局に提出していたのである。そこで、われわれはさっそく長井さんと会い、話し合った結果、お互い協力して一緒にテレ湖へ行こうということになった。

この長井さんという人は、「テレビ業界で仕事をしている人間がこれでいいんだろうか」とわれわれが余計な心配をするくらい純粋で率直な人で好感がもてた。今回の計画にかかわったり、好意をもってくれた人には、なぜかこういう浮世離れした人が多いのである。

もっとも、テレビ局はやはり現実路線だった。

長井さんは、単独でコンゴへ飛び現地視察したにもかかわらず、結果的には番組にはならなかった。彼らは何がどうなっているかわからない未知の部分に頭から突っこむようなことはしないらしい。どういう映像がどのように撮れるかが計算できないと大金はかけられないというわけだ。

われわれにしてみれば、わからないからこそ面白いのに、何とももったいない話である。しかし、テレビと一緒にやるとかやらないとかいう話がもち上がったのは刺激になってよかった。プロの組織を目《ま》のあたりにして、自分たちの無力を感じたわれわれは、リンガラ語の学習を始めた。

金も技術もない自分たちにしてみれば、現地の共通語くらい話せなくてはだめだと思ったわけである。が、アフリカでも五本の指に入るというメジャーな言語なのに、まともなテキストがない。そこで、こうなったらいつもの〝単刀直入作戦〟でいこうと思い、在日コンゴ人をみつけ出し、直接リンガラ語を習おうとした。そうすれば、コンゴの話も聞けることだし……。

コンゴ・ドラゴンの前にコンゴ人を探せ、というわけだ。

池尻の定食屋でコンゴ人学生がアルバイトをしているという未確認情報を得て、夜の池尻を走り回り、飲食店をしらみつぶしに探したこともあった。

結局、池尻とは縁もゆかりもないところで、コンゴ人を発見したが、その人が忙しくて会えず、ＣＤＰメンバーである金子が出入りしていたチベット文化研究所でなぜかザイール人を見つけ、われわれは彼を師とすることとなった。

リンガラ語というのは、現地の部族語をヨーロッパ人宣教師がアレンジしたもので、現在はコンゴ、ザイールの両国で使われている。公用語にはフランス語が使われているため、全くの口語用なのだが、それだけに現地に密着しているし、何よりも簡単なのが取り柄という言葉だ。

リズムやイントネーションがいかにもアフリカアフリカしていて、このリンガラ語のおかげで、プロジェクトの雰囲気が一気に盛り上がった。

第一次遠征隊出発

四月、新年度、探検部にもぞこぞこ新人がはいってきた。はいってきたその数日後にCDP参加を決めてしまう奴《やつ》もいた。田村修《たむらおさむ》である。

おまえ本当にやる気なのかと念を押すと、「怪獣探検に行くって友達にもう言っちゃったんです」と彼は無邪気に答えた。

同じ一年生でも、森山憲一《もりやまけんいち》はたえず部室に出入りしているうちにCDPに魅かれ、充分に考えてから参加を決意した。いつでも慎重で冷静、イギリス人のような男である。

総勢八名になったCDPであったが、私自身は日がたつにつれ、イライラが募ってきた。

いくら情報を集めても、それは他人や本から得た知識でしかない。単なる旅行ならともかく、大規模な遠征隊を送り出すにはあまりに心もとない。

だいたい、向こうの政府がわれわれを素直に受け入れてくれるとは到底思えない。この状態で来年の春まで待てというのか……。

六月のある日、もう我慢ができなくなった私は、衝動的に部室の連絡ノートに太いマジックでなぐり書きした。

「おれは夏休みにコンゴへ行く。費用は四〇万、一緒に行きたい奴は誰でも来い」

かくして偵察を目的とした第一次遠征隊が急遽《きゅうきょ》つくられたのである。

私とともにCDPの中心的メンバーである高橋は岩登り中に転落、膝《ひざ》と踵《かかと》の骨を折る重傷で入院しており、代わりにメカやスーパーの安売り情報やその他ありとあらゆる細かい作業にやたらうるさい向井が同行することになった。

OBの先輩方のはからいで朝日新聞に大きく取り上げてもらったのに元気づけられて、八月十日、私たちは日本を発った。

パリ、ザイールのキンシャサを経て、二週間かかってようやくコンゴ入国。強引にアニャーニャ博士のところへ押しかけたが、あたたかく迎えてくれた。彼と相談した結果、この時期のテレ湖は雨季で到達が難しいことから、まだ誰も調査を行っていないテレ湖の北部の村を訪れることにした。

森林経済省の書記長、動物保護局の局長とも直接会見し、正式な許可をもらった。どうもコンゴ政府は本気で怪獣発見に期待を寄せているらしい。

九月、二週間かけてわれわれはアニャーニャ博士以下三人のコンゴ人と、リクアラ地区のジャングルを歩いてまわった。北部の村では残念ながらモケーレ・ムベンベの情報は得られず、われわれは最後の目的地である〝テレ湖に最も近い〟ボア村を訪れた。

村の人たちは思ったよりかなり文明化しており、誰が教えたものかムベンベのことを〝恐竜《ディノソー》〟と呼んだりしている。ただ、その存在は当然のものとして受け入れられていた。

怪獣に関する面白い話をいくつか聞いた。

例えば、「ピグミー村全滅事件」。少し前まで（どのくらい前かはよくわからない）、テレ湖にはピグミーが住んでいた。あるとき、ムベンベが漁の邪魔をして困るというので、その一匹を殺して肉をみんなで食べた。すると、肉を食べた人間は残らず死亡、村が全滅してしまったという。

また、自分の父親が、水面から首を出し水辺の草を食べる怪獣を見たという男もいた。

しかし、全体的には、怪獣の詳しいことについては明らかに話したがらないようで、直接の目撃談は聞けなかった。いまだにムベンベに対し畏怖《いふ》の念を抱いているのか、われわれよそ者に村の内輪話をしたくないのか。

ただ、船でボアに向かう途中、私はジョエルという青年に会った。彼はひそひそ声で、

「今度テレ湖へ行くときは、近くの小さい湖、モケーレ湖とサクア湖へ行くといい。そこはテレ湖周辺で最も危険な場所だ。しかし、アニャーニャ博士には決して言ってはいけない」

と何とも不思議なことを言う。それ以上はいくら聞いても口を閉ざしてしまった。

ピグミーの話といい、この話といい、聞いているだけで興奮してくる。

「ああ、早くテレ湖へ行きたい」と切実に私は思った。

私は一か月にわたるコンゴ生活で、リンガラ語をかなりおぼえ、現地を確かめ、役所、街、村々を問わずそこら中に知り合いをつくった。これで、来春の本隊遠征は実現可能であろう。

私はパリに戻ってからマラリアが発病、四〇℃以上の高熱を発し、さんざん苦しめられた。一時は死ぬかと思ったりもしたが、治ってからは「初めてのアフリカでマラリアの偵察もできるとは、おれはついているにちがいない」と勝手に思いこみ、決意も新たに、十月、日本へ帰った。

「やると言ったらやります！」

いよいよ第二次遠征隊のメンバーが決まった。

隊長兼渉外（国外）担当は私、高野（当時三年）。

副隊長兼動物担当はようやく足の傷がいえた高橋（三年）。

渉外（国内）担当は私たちが日本を出発する少し前からＣＤＰにかかわり始め、気がついたときには欠くことのできない中心的メンバーになっていた戸部大《とべはじめ》（三年）。将来、国際的ジャーナリストを目ざす探検部随一のやり手である。隊の組織化はほとんど彼の手で進められた。

機材、事務担当はもちろん向井（二年）。

医療担当、「おれが絶対病気になりそうだから」と人のことよりまず自分の身を案ずる金子（三年）。

食糧担当、悩める村上（三年）。

もう一人の動物担当は元気が取り柄の田村（一年）。

装備担当、そつのない森山（一年）。

最後に雑用係、船越（二年）――というのは、この忙しいときに彼がミーティングをさぼるので役を決められなかったのだ。いつもボーッとしていて何の役に立つのかさっぱりわからないが、存在しているだけで周りが楽しくなるような効果がある。つまり、人気者なのだ。

総勢九名、いよいよテレ湖へ行くのだ。

われわれは連日ミーティングを行った。いろいろ話し合った結果、科学的に、つまり、写真やビデオフィルム、録音テープなどを利用し、誰でも納得ができるような形で怪獣の実在を証明することを最終目標に定めた。

それには、道具が要る。各企業に協力をお願いすることにしたのだが、われわれもただ順番にメーカーを回って寄付を頼んだわけではない。

まず、向井が、あれば便利だろうと思われるあらゆる種類の機材のカタログを集め、また、東京中の電気屋、カメラ屋、ディスカウントショップを実際に歩き回って、各メーカーの品物を性能、値段、使い易《やす》さ、防水性、付属部品の性能、耐久性、電源（燃料）など全《すべ》ての面にわたって研究する。こういうことをやらせれば、日本中の学生を探しても向井の右に出るものはそうそういないだろう。そして、ミーティングで彼が説明を行い、実際にテレ湖でどのように使用するかという観点から徹底的に議論し、どのメーカーのどの機種がいいか決める。

一方、戸部が交渉の具体的方法をみんなに教え、各メンバーがメーカーにアタックするのだ。

われわれはまた「企業説得セット」なるものを考案した。中味は、①CDP概要（全三〇頁《ページ》）、②第一次遠征隊報告書（六〇頁）、③第二次遠征隊計画書（一五頁）、④今までに協力してもらった企業のリスト、⑤帰国後、発表する予定であるマスコミ、メディアのリスト、⑥西原春夫早大総長のお墨付き、である。文章は私が書き、向井がワープロで活字にした。

これは後に英訳すると、そのまま「コンゴ政府説得セット」になり重宝した。

さらに、東京新聞が後援してくれることにもなり、必要な装備が続々と集まってきた。

本多電子――水中超音波探知機
富士写真光機――スターライトスコープ（夜間暗視装置）
松下電器――ストロボ
日本ベルボン精機工業――大型三脚
日立マクセル――乾電池
大塚製薬――カロリーメイト
森永製菓――ココア、アメ、キャラメル
金鳥――蚊取り線香、虫よけローション
住友スリーエム（スコッチ）――フィルム
オーディオテクニカ――高指向性マイク

ソニーには、初め広報部であっさり蹴《け》られたが、めげずに戸部が井深大《いぶかまさる》名誉会長に手紙で直訴、探検部顧問の奥島孝康先生の早大当局への働きかけも功を奏し、多大な援助を受けた。

ソニー——八㎜ビデオセット×2、カセットレコーダー×2、トランシーバー
また、東京新聞を通じて直接借りられた機材も多い。
キヤノン——五〇〇㎜望遠レンズ、カメラセット×6
富士写真フィルム——フィルム
モノが集まってくると、今まで彼方《かなた》にあったテレ湖探検がにわかに現実となってひしひしと感じられてきた。他のメンバーも精力的に動いていた。
医療係の金子は、熱帯医学協会に何回か足を運び、注意すべき病気について話を聞き、そこで抗生物質やマラリアの治療薬を購入した。
動物係の高橋は、英語の図鑑でコンゴの動物について調べる一方、爬虫類の専門家に話を聞いてまわった。その結果、「コンゴの動物は日本に実物がほとんどいないので、どんなつまらない動物でも貴重な標本になる」ことがわかり、彼は標本採集の方法を勉強し、ホルマリン、特製バケツなどのキットも買いそろえた。
また、「最近一万年前の恐竜の化石が見つかった（恐竜の絶滅は六千五百万年前とされている）」というレガスターズ隊の報告を検証するため、彼は国立科学博物館の小畠郁生《おばたいくお》先生や横浜国立大学の長谷川善和《はせがわよしかず》先生を訪れた。小畠先生のときには私も同行したが、先生はたちまちそのレポートの不備をつき反論してみせた。さらに、恐竜に関する専門的な話をわかり易く説明してくれた。私は素直に「専門家というのはえらいものだ」と感心し

たのだった。

いかに恐竜が生き残っている可能性が少ないか改めて知らされた私だが、まだ希望を持ち、恐竜に関する本を読み、基礎知識を得ようとした。

十二月、探検部OB会でこの計画を発表。

作家の西木正明《にしきまさあき》さん、船戸与一《ふなどよいち》さん、国際ジャーナリストの惠谷治《えやおさむ》さんらをはじめとするそうそうたる諸先輩方にボロクソにけなされた。しかし、この先輩たちはこういう方法でしか後輩を激励しないのをよく知っている私は、負けずに大声で言い返した。

「やると言ったらやります！」

これでもう後には引けなくなった。

十二月も中頃、われわれ遠征隊に、前述の未知動物研究家の高林さんと駒大探検部の野々山さんが加わることになった。

高林さんは、今回、ついに正職のサラリーマン稼業を捨てての挑戦である。一方、野々山さんは、自己紹介での得意のフレーズ「オレはホントウの日雇いです」でわかるように、大学を出てからホントウの日雇いに従事している。それだけに、気力も体力も俗人離れしており頼もしい。

異色の社会人二人を擁してCDPはますますバラエティにあふれてきたのだった。

この二人と部員九名がCDPの正式メンバーだが、コンゴ行きに際して、カメラマンの鈴木邦弘さんという人が同行することになった。

彼は、テレ湖ではなく、ピグミーの写真を撮影するのが目的なのだが、コンゴ政府はマスコミ関係者を殊のほか嫌っているので、遠征隊にまぎれこんで入国しようというのが魂胆なのである。

途中、「早稲田大学放火事件」で部室のある建物が焼かれて部室が使えなくなり、われわれはミーティングをしたり、装備を保管しておく場所を失ってしまった。この時は、コーヒー一杯が一五〇円という安いマクドナルドとかで最終打合せをするという悲惨さであった。パステルカラーの店内でむさ苦しい男たちが一〇人もやってきて、資料や機材をそこら中に広げ、コーヒーしか頼まずに、何時間も夢中になってアフリカ行きの計画を声高にしゃべっている光景は、さぞかし異様だったろう。

最後の準備作業

年が明けた。準備は着々と進んでいたが、まだ最大の気掛りが残されていた。

われわれはだいぶ前に「コンゴ政府説得キット」をアニャーニャ博士をはじめ、森林経済省、科学技術省、情報省へ送っていたのだが、まだその返事が来ないのだ。許可が下りなければ、入国すらできない……。

不安な日々が続いたが、一月十五日、森林経済大臣より私あての手紙が届いた。

「今年実施される遠征について、私は基本的に合意していることをお知らせします」

という一文を見出《みいだ》し、私は狂喜した。

ついにコンゴ人民共和国の厚い壁を突破したのだ！　これで、テレ湖へ間違いなく行けるだろう。

残る問題は費用だけである。私は前回の経験から、「一人七〇万円」とふんでいた。

さまざまなテレビ局やマスコミ関係者と接触し、スポンサー探しをしたがうまく行かずついに自腹を切るはめになった。つまり、アルバイトで貯めた金と親きょうだい親戚縁者《しんせき》から借り集めた金を合わせ、何とか七〇万円を用意したのである。

戸部にいたっては親から金を借りるのと引きかえに「大学卒業したら必ず就職します」と一筆書かされてしまったという。「悪魔に魂を売り渡した」と彼は苦笑していた。

これでどうにか全ての問題がクリアされた。

出発直前、相模湖《さがみこ》、霞ヶ浦《かすみがうら》、山中湖と三回にわたり、プレ・コンゴ合宿を組んだ。メンバーそれぞれが機材の取り扱いに慣れるため、機材の調子を試すためである。特に最後の山中湖では、大きさが似通っていることから、テレ湖のイメージをつかもうとした。

もっとも、厳寒の湖の氷を叩《たた》き割りながら、ゴムボートでのソナー実験を行ったことが、熱帯雨林での予行演習になるのか、はなはだ心もとなかったがこれは仕方ない。やらないよりマシであろう。

日本脱出

二月二十日、出発の日が来た。

前日、横浜の野々山さん宅の倉庫に荷物を集め、翌日、東京新聞が用意してくれた車で成田へ向かう。

私と向井を除く九名は、この日、日本を発ち、ケニヤのナイロビ経由でザイールの首都キンシャサ入りする。一方、私は二十二日、向井は二十三日に成田を出発、二人はパリ経由でキンシャサへ行き、そこで残りの九人と合流、全員でコンゴに入国する手はずになっていた。

みんなで一緒にコンゴまで行けばいいのに、なぜわざわざ隊をパリ経由とナイロビ経由に分け、隣国ザイールの首都キンシャサで落ち合うという壮大なオリエンテーリングを展開するというややこしさになったのか。

本当は私も向井もみんなとともにナイロビ経由で行けば話は簡単なのだが、ビデオの持ちこみがケニヤで禁止されていることと、パリで「ラリアム」というマラリアの特効薬を手に入れなければならなかったこと、それに前回、パリでチケットのトラブルをおこしており、その解決に行かなければならなかったのだ。

予定では、三月一日にコンゴ・ブラザヴィル、テレ湖に着くのは三月中旬、そこで四十日間滞在し、五月上旬にブラザヴィルに帰還、五月下旬に五体満足そろって全員無事帰国ということになっているのだ。実際はどうなることやら、予定を組んだ私にもさっぱりわからない。

空港では大混乱だった。一人平均四〇kg以上という山のような荷物を抱え、みんな自分のことで精一杯で、隊全体に気を配る余裕がない。「これで大丈夫なのだろうか」。私は見ているだけで心配になり、「早く行けよ」とメンバーをせかした。

「まだ村上が来ないんだよ」と金子。

えっ、と思ってまわりを見わたすと、遠くから村上が「オーイ」と手を振りながら走ってくる。

「いやー、すまんすまん。歯医者へ行くの忘れとった」

広島弁で彼は弁解した。

ようやく九名の異様な男たちは搭乗ゲートへ向かうエスカレーターに姿を消したのだった。

翌々日、私は再び成田にやってきた。今日は自分の出発の日だ。見送りは大学の友人一人、二日前にくらべると何とも落ち着いた出発である。

いろいろと頭をよぎるものがあったが、「まあ何とかなるよ」という一句で締めくくった。

「何とかなると思えば、たいてい何とかなる」という非論理的な強い信念が私にはある。いや、もしかするとこれは早大探検部の精神かもしれない。

私は飛行機のゲートまで大またに歩き、出迎えたスチュワーデスに陽気に、「ハロー」と言った。

気分はもうアフリカであった。

第一章

コンゴ到着

探検隊、南へ

アニャーニャ博士と作戦会議

半年ぶりのアニャーニャ博士

三月二日、私と向井は、キンシャサで待っているはずの仲間より一足先に、コンゴの首都ブラザヴィルに降りたった。

飛行機から外へ出ると、ジェット噴射の熱がモアッと襲ってきた。息苦しくなって足早に機体から離れたが熱はまだ強い。いい加減空港の建物が近くなって、ようやくそれがジェット噴射のせいでも何でもなく、単に外気が暑いのだという事実に気づいた。

頭がクラクラしたが、考えてみればつい十数時間前までパリのサン＝ドニ通りで真冬の寒さに震えていたのである。頭も身体もおかしくなる。

しばらくすれば、すぐ慣れるだろう。

実際、暑さのほかは全然違和感がない。前からずっとここにいるような気がする。税関の無愛想も軽いリンガラ語でやわらげ、空港の荷物受取場からタクシー乗場までの一連の雑踏も難なくこなす。

荷物を運ぶのを強引に手伝ってくれた空港の職員が、私のことを何も知らない外国人と思ったらしく、とんでもなく高額のチップを要求してきたからおかしくなった。

「こら、こっちはちゃんとわかってるんだぜ」

彼はムッとした顔を作ろうとしているが、よく見ると、人のよさそうな青年だった。


翌日、アニャーニャ博士（以下、ドクター）を訪ねた。

動物保護局のオフィスは繁《しげ》った木々の葉と濁った水たまりに囲まれ、もうすでに「ジャングル」という雰囲気であった。奥の方へ入っていくと、ドクターの部屋はドアが開いていて、その向こうで目だけが光っていた。

相変わらず黒い人だ。アフリカ人といえども、なかには陽焼けした日本人とさして変わらないくらいの人もいれば、彼のように心底黒い、文字通り真っ黒という人もいる。

前回の遠征で撮った写真には、彼の顔が判別できるものがほとんどなかった。普通に撮ったのでは黒すぎて写らないのである。もっとも、そんな彼でも何と陽焼けをするそうで、この前奥地から帰ってきたとき、しきりと「ますます色が黒くなった」と嘆いていた。私からみても、彼のどこがこれ以上黒くなるのかわからなかったが。

ともあれ、半年ぶりのドクターは上機嫌であった。科学技術省、情報省、森林経済省（以下、森林省）などの関係各省へは、こまめにコンタクトをとり、内諾はもらっていたものの、肝心のドクター自身が相当にわがまま気紛《きまぐ》れな性格だということは知っていたので、私は一抹の不安を抱《いだ》いていた。

彼は、われわれの遠征に協力することを二つ返事でOKしてくれた。彼がうんと言えば、まず大丈夫だろう。

われわれのやや強引な戦法が功を奏したのも事実だが、彼につい最近、初めての子供が生まれたというのも勝因の一つだろう。これで、赤ん坊が流産でもしていたら、この計画はつぶされていたかもしれない。それほどに彼の立場は強く、コンゴ政府のシステムは人間臭いのである。

というわけで、話は別に問題なく進み、彼はすぐ準備にとりかかることを約束し、私たちは別れた。

ほんとうは、この後すぐにザイールへ渡ろうと思っていたのだが、コンゴ名物「出国ヴィザ」なるものを取得しなければならず、われわれの到着を待つナイロビ隊と合流するのは翌日、四日の夕方まで待たねばならなかった。

キンシャサでの合流

他のメンバーは労せず見つかった。キンシャサの目ぼしいホテルで、「日本人一〇人くらいを見なかったか」と聞くと、「ああ異様な日本人が大量にいるのを見たよ。二〇人はいたかな」とフロントのおやじはうそばっかり言う。まあ、二〇人でも三〇人でもいいからと思い、場所を教えてもらった。

教えられたホテルに行くと、確かに私の目から見ても「大量の異様な」日本人が、なかなか居心地よさそうにホテルでくつろいでいた。「もしかしたら、大変な苦労を強いられているのではないか」と心配していたので、拍子抜けがした。

「でも、着いたときはどうなるかと思いましたよ」

と森山は言った。

「問題の税関は、チップの二〇ドルでかわしたけど、後が大変だった」

私も昨年体験しているが、そのときも空港のポーターがたくさんどっと押し寄せ、メンバーの荷物を奪い、それぞれ自分と組んでいるタクシーのトランクに積み始めたらしい。連中は強引で、普通に「おい、ちょっと待て」くらいじゃ振り向きもせず、大騒ぎになった。ようやく荷物を取り返したが、向こうは英語がわからず、こっちもフランス語を片言すら話せない。

しかたなく、森山、金子あたりが日本で習い覚えたリンガラ語を思いつくままに並べるのだが、何しろ実地で使うのは初めてだし、状況も混乱しきっているので、

「私はキンシャサへ行った」（私はキンシャサの街へ行きたい、と言おうとしている）

とか、

「私はドルです」（われわれは今ドルしか持っていない、と言いたい）など、わけのわからんことを言ってしまい、タクシーの運ちゃんを煙《けむ》に巻くばかりである。

それでも、すったもんだの挙句、キンシャサの市街地までたどり着くが、今度は宿が見つからない。しかたなく、現在の快適なホテルに移るまでは、いくつもの高価な機材をしっかりと抱きしめて、小便くさい連れ込み宿を転々としていたという。

「そうか、それはご苦労だったな」

「今はなかなか安楽でいいですけどね」

と一見今どきの若者風の田村は言った。

「いやあ、それでもそっちの方が面白かったよ。今は堕落だ」

とストイックな村上は決めつけた。安楽でも堕落でも結構だが、ようやくメンバーが一堂に会したわけだ。これからようやく、全員分のコンゴへのヴィザを取りに動き出すという前置きの長さだがしかたがない。アフリカであせるというのはあまりよろしくないと、昨年の経験からよくわかっている。

「おーい、飯ができたぞー」

本日の炊事係の野々山さんが呼んでいた。

日本人のリンガラ・ミュージシャンとムシャシノ

翌日は、日本大使館へ行き、コンゴ大使館へ提出するための推薦状《すいせんじよう》をもらうという仕事で一日が暮れた。

大使館では、日本人のリンガラ・ミュージシャンのグループに出会った。リンガラ・ミュージックとは、ザイール、コンゴですさまじく盛んな音楽だ。リズムは部族の伝統音楽をとり入れ、演奏はエレキギターやキーボードなど西洋式最先端の楽器＋《プラス》タムタムなどの伝統打楽器、歌詞はリンガラ語で語りかけるような感じ——といえば、少しは想像できるだろうか。

かなりラテン音楽に近いものを感じるのだが、言葉がリンガラ語なだけに、民族のエネルギーが爆発している。街のいたるところで大音響が、ラジオからカセットから流れ出しており、金持ち貧乏人、若者年寄り、男も女も、どんなに教養があって真面目《まじめ》な人でも、これを聞いた瞬間、条件反射で腰を振って踊り出すという代物である。

その意味では、「法の下の平等」などというものは全く顧みられていないかわりに、「リンガラ・ミュージックの下の平等」は広く行き届いているとさえ言える。

アフリカ人が多いヨーロッパでは最近だいぶ注目されてきたようだが、日本ではまだ一部の人々にしか知られていない。ところが、よくあることだが、その一部の人々には熱狂的なファンが多く、なかには本物のリンガラ・ミュージシャンになってしまった人がかなりいる模様である。

その日会ったグループの人たちも、普段は日本で演奏活動をし、ときどき三か月や半年という単位で「来ザイール」するという。妙なノリがあって、どうもわれわれとは合いそうにないような気がした。マニアの極致というか何というか、変わり者の集団である。ま、人のことは言えないのだが。

この街には日本人を「ムシャシノ攻め」にするという不思議な習慣がある。道端のタバコ屋にたむろしている若者が通りがかりの私と向井に向かって、

「ムシャシノ、ムシャシノ！」

と言って手を振った。「何だろう？」と思っていると、今度は小さい子供たちが、

「ムシャシノ、ムシャシノ！」

と叫びながら走って逃げていく。さらに、炎天下汗びっしょりになって荷車を引いている男が、車をとめてこちらをにらみつけ、早口でまくしたてている。

「…………ムシャシノ……ムシャシノ……ムシャシノ……」

私も何かしなければいけないような気持ちになり、

「そうだ、ムシャシノだ！」

とわけもわからず叫び返すと、その男、急に満足気な笑みを浮かべて行ってしまった。

極めつけは、夕方宿のそばを歩いていると、買い物帰りのおばさんが子供の手を引きながらやってきてすれ違い様ふと立ち止まり、私の顔にめがけ、

「ムシャシノ」

とボソッとつぶやき去っていった。さすがに気になるのでいろいろ考え、これはひょっとしたら「シノワ（中国人）」と言ってるのかもしれないと思った。こんな西の果てみたいなところでも華僑《かきょう》がいて、その商売のやり方で毛嫌いされている。ときどき、われわれも彼らとまちがえられて罵声《ばせい》を浴びせられたりするのだ。

しかし、この場合、確かに「ムシャシノ」と発音しているし、軽蔑《けいべつ》というより親しみがこもっているような気がする。そこで、宿の人間に、

「ムシャシノとは何だ？」

と尋ねると、お前そんなこともしらんのかという顔で、

「これだよ」

と指差した。私のウェストバッグである。何でウェストバッグがムシャシノなのか？

リンガラ・ミュージックの有名なあるグループが日本へ演奏に行った。彼らはそれが自慢でしょうがなかったらしく、帰ってきてからもコンサートなどでノッてくると、なぜか、

「新宿、武蔵野《ムシャシノ》、ばんざい!!」

と叫ぶのだ。その際、武蔵野と言うのと同時に日本で買ってきたウェストバッグをまるでチャンピオンベルトでもあるかのごとく誇示するらしい。ここではウェストバッグが手にはいらないのだ。それでウェストバッグのことをリンガラ語で〝ムシャシノ〟というようになったというお話であった。

キンシャサ脱出

ともあれ、リンガラ・ミュージック関係のおかげで、ザイール人、コンゴ人の対日感情は急激によくなっているようだ。

そのおかげかどうかは知らないが、八日、コンゴ大使館では最も心配していたヴィザの発行をあっさりと約束してくれた。しかも、いつもだとつまらないことまでくどくど書かなければならない書類も必要なかった。どうして同じ事柄で、あるときはえらく形式ばって妥協しなかったり、あるときはこのように面倒なことは一切省くという姿勢になったりするのかわからない。

しかし、深く考えるのはやめて素直に喜ぶことにした。幸運はそっとしとくに限る。

ホテルに戻り、本日の成果を発表、メンバーはどよめいた。

「やっと身体が動かせるぜ」

じっとしているのが嫌いな戸部が真っ先に言った。

考えてみれば、みんなもう二週間以上もキンシャサでくすぶっているのである。ただ待つだけの生活に我慢も限界というところか。

幸いにも、メンバーのほとんどは元気である。

私が到着したときにはすでに、金子と高橋あたりが中心となり隊の生活面は実にうまくいっていた。今までの活動でもちろん探検部員同士はよく知り合っているが、うちの部では普通小人数で行動する。こんなに大人数で大規模な活動をしたことはなく、ましてや今回は部外のメンバーが二人（途中まで同行のカメラマンの鈴木さんを含めると三人）もいる。

私としては、チームワークがいちばん心配だったのである。特に、こういう長丁場になると、食生活などの基本生活が大きな比重を占めてくる。

われわれはホテルに寝泊まりしていたものの、経済的な理由から、すでに市場で材料を買ってきては外でコンロを使って自炊しており、実質的にキャンプ生活をしているようなものだった。いい予行演習である。

それにしても鍋の周りはいつもたいした活気だ。好奇心旺盛《おうせい》な高橋や金子が市場で食えそうなものをじゃんじゃん買ってくると、野々山さん、高林さん、森山なども積極的に口

を出し手を出す。感心していたが、よく見ていると彼らの料理熱心さの理由は、

「人に任せておいたら、どんなもの食わされるかわからん！」

という金子の言葉にあらわれている。

私や村上、田村など「別に飯なんか食えれば何でもいい」という連中はただ待っていればいいから楽である。お互いに利害が一致しているのだ。

飯が終わるとミーティングに移る。ここでは隊の参謀的存在の戸部が中心となって、現在までの会計、コンゴ国内での予算の変更、機材のチェック、テレ湖での調査方法の検討などを行う。

当初考えていた予定では、四十日間にわたる湖調査を前半と後半に分け、メンバーを入れ替えることになっていたが、やはり誰もが心の中ではいちばん先に湖に到達したいと思っているし、これだけの人数で入れ替えを行うのはかえって非能率だという理由で、全員が同時に湖へ行き四十日間滞在することに作戦を大幅に変更した。

また、私が「一か月二十四時間完全監視」を思いついたのもこのときである。スターライトスコープ（夜間暗視装置）を用意しているので、もちろん夜間の監視はするつもりだったが、日本にいるときはそこまで思い至らなかった。

「『完全』というのは、一か月間、一分たりとも湖から目を離さないことだ。二人一組八時間三交替でやろう。きっと、こんな調査方法は世界初だろう」

私は気合いが入ってきた。みんなも異論がない。こうして、普通人をあきれかえらせる作戦――流通業界を愛する向井が呼ぶに「セブン－イレブン方式」――が採択されたのである。

三月十日。ついにキンシャサ脱出、ブラザヴィル着。

いつになく太陽がギラギラして暑い日だが、流れる汗が心地よかった。

ムベンベへのそれぞれの思い

「アフリカの小リスボン」

在ザイール日本大使館の石川薫参事官は、ブラザヴィルをこう表現した。なるほど小ぎれい、小ぢんまりとしていて、「小」という字がぴったりの街だ。人間の数も少なく、みんなのんびりしている。

コンゴ人民共和国は国土の大きさが日本とほとんど同じだが、人口わずか二〇〇万たらず、首都だってたかがしれている。二、三〇万というところだろう。

通りがかりのトラックをチャーターしホテルへ向かう途中、なだらかな丘と緑の多さに心がなごむ。

ホテルのオーナーと交渉してダブルベッドの部屋に三人ずつ詰め、しかも宿泊代は正規料金の三分の二に値切ることにようやく成功、ホッと一息ついたところで、ドクターが訪ねてきた。セファロフ（カモシカの一種）の皮を手縫いで仕立てたおニュー のカバンを携えている。相変わらずダンディーだ。

宿の庭先にある涼しい木影で、全メンバーとドクターとの感動（？）のご対面である。彼の提案で、自己紹介を兼ね、みんながそれぞれ自分の抱負を述べた。

「とにかくテレ湖に行き、湖を見張りつつ周囲のジャングルも探査したい」（野々山）

「用意した科学機材をフル活用して挑戦したい」（戸部）

「テレ湖という湖そのものに、エコロジー、地理学的な興味がある」（森山）

「ムベンベはもちろん小動物の採集にも興味がある」（高橋）

「怪獣がいるかいないか自分の目で確かめてみたい」（金子）

「テレ湖に行くことが私の十年来の夢だ」（高林）

「他のことは全く興味がない、目標はムベンベのみ」（村上）

「怪獣の話がたとえ伝説であっても、そのような伝説が存在するということ自体が面白い」（田村）

「ムベンベを写真か映像におさめたい」（船越）

「何が何でも怪獣実在の証拠をつかむ！」（向井）

「恐竜でないとしても何か新種の生物を発見したい。また、世界に恐竜がいるとすれば、テレ湖が最後の地域だと思う」（高野）

また、高林さんが途中いきなりドクターに、

「あなたはモケーレ・ムベンベを何だと思っているか？」

とつめよれば、彼も、

「私はそれが何であるかは言えない。しかし、それは今までに知られている哺乳類でも爬虫類でも、いかなる他の動物でないことは確かだ。なぜなら、私は自分のこの目で見たんだ。長い首と黒く大きな背中が水面に現れているのを！　人はみんな信じようとしないが、私は実際にこの目で見たのだ！　だから、今回はぜひ明確な写真を撮って分析したいんだ」

とボールペンを振り回しながら熱っぽく語ってくれた。

今まで長いこと資料や人の話でしかうかがえなかったモケーレ・ムベンベ探検の舞台に、ついに自分たちが主人公として登場する実感がひしひしと伝わってきた。

今すぐにでも次の目的地、インプフォンドへ向け出発したいところだが、そうはうまくいかない。

翌日から関係省庁の許可をとるという大仕事が待っていた。

コンゴの公共機関（役所、銀行など）は朝が早い。早いところは何と六時三十分、遅くても七時からオープンしている、その代わり終わるのも早い。早いところは十二時半、遅くても二時には人がいなくなる。実務時間は七時間程度だが、初めの準備と後片づけにそれぞれ一時間ほど費すらしく、正味五時間くらいしか客を受けつけていないことになる。

しかも、電話はたまにしか通じないので約束がとれない。

しかたがない、まずとにかく相手のところ（この日の場合は情報省書記長）に行ってみる。そして、相手に用がなければすぐ会えるのだが、そんなことは滅多にはない。たいていは待たされる。今日も楽々一時間待たされた。その揚句、現れたのは秘書嬢である。憂うつな顔で応対する。一方、ドクターも熱のない口調でぼそぼそと説明する。お互いため息をついたり、頭を抱えたりでとてもうまくいってるとは思えない。「これはいかん」と思い、強引に口をはさもうとすると、突然話は終わってしまう。時間にしてたった五分ばかり。

ドクターにきいてみると「全《すべ》て順調」とのこと。狐《きつね》につままれたような顔で席をたつ。この時点で十一時ちょうど。今日はもうあと一カ所しかまわれない。

初めはあまりの非能率に腹が立ったが、すぐ慣れてしまった。私は基本的に非能率が嫌いではない。実際今朝も、ドクターとの待合せに三十分遅刻している。もちろん、彼も文句を言わなかった。

ブラザヴィル三日目、日曜でお役所めぐりは休みで装備チェックを行う。テントやゴムボートなどの野外装備はもちろん、調査機材も全部組み立て、テストしてみる。ここは機材担当・向井の独壇場だ。異色社会人コンビと上級生部員にはあまりメカに強いやつがいない。

「あ〜、だめだめそんな持ち方しちゃぁ！　レンズが傷むじゃないですか！」

という向井の細かい指摘がビシビシ飛ぶ。先輩もかたなしだ。

今は探検部も力《パワー》や野外技術だけの時代ではない。それはわかっている。それにしても、「機材、機材」というのは人間性をないがしろにしているのではなかろうか、などと叱《しか》られ通しの私は不平を言いたくなったが、彼が正しいということはよくわかっていたので、言われた通りに仕事をした。

もめる政府との交渉

翌週ももちろん午前中は役所の許可をとる作業で忙殺された。その合い間合い間に、ドクターと遠征計画について討議を重ねる。できればメンバー全員＋ドクターで話し合いをしたかったが、みんながみんな英語を操れるわけではないし、混乱もするだろう。

そこで、ホテルで毎晩日本人メンバーだけでミーティングをし、そこで得られた結論に従って代表の私がドクターと議論するという形をとったのである。これで計画はかなり具体化してきた。

まず、日程はほぼ次のようになった。

三月二十二日、ブラザヴィルを出発、飛行機でリクアラ地区の首都インプフォンドまで行く。そこでリクアラ地区の手続きを終え、二十四日、トラックでエペナへ向かう。ここで道路はおしまいなのでカヌーをチャーターしてリクアラ川を下り二十六日ごろ、ボア村へ。ここで、食糧（主食類）を調達、村人をポーターとして雇い、二十九日出発。約三日間ジャングルを歩けば、三月三十一日には目的地のテレ湖へ着けるだろう。

「テレ湖にどのくらい滞在したいのか」

ときかれ、私は迷わず、

「四十日」

と答えた。これにはわけがある。今まで最も長くテレ湖に滞在したのは、アメリカのレガスターズ隊で三十二日。科学調査においてはかなわないにしても、滞在日数だけは他の探検隊に負けたくない、というわれわれのささやかな意地なのである。彼は、

「ＯＫ」

と肩をすくめてみせた。「おまえたちジャングル生活のたいへんさがわかってないようだな。せいぜい二十日もてばいいがな。ま、やってみろや」と言わんばかりである。

ドクターは十九歳のときキューバへ渡り、七年間ハバナ大学で学び、博士号を得、その後もフランスの研究所に勤め、コンゴに帰国後すぐさま動物学の第一人者になってしまった（コンゴには他に動物学者と呼べる人が全くいないので当然だが）くらいのエリートだ。まだ三十二歳という若さだが、テレ湖だけでなくリクアラ地区の密林については相当に詳しい。ときどき、人を小ばかにしたような態度を示すのが気にさわるが、計画においては彼の意見を尊重することにした。

われわれが最も懸念していたのは食糧の調達である。そこをただすと、

「マニオック（英名キャッサバ。イモの一種）と米は村で手に入るし、森に入ってからは、いくらでも獲物がとれる」

と彼は銃で撃つ仕草をしながら、妙に嬉《うれ》しそうに笑った。

それから、噂《うわさ》に聞いたボア村に支払わなければならないというテレ湖への「入域料」であるが、また彼にばかなことを言うなという顔をされた。

「コンゴ人民共和国は社会主義国家である。国土はすべて国民のもの、国家のものである。なぜただの村が湖を所有する権利があるんだ」

そんなことを言われてもこっちは困るんだが、隊の財政状況も逼迫《ひっぱく》しているので、金を

払わなくていいというのは有難い。

その他のことは、この時点であまり問題にならなかった。各省庁の許可もわずかながらも進んでいたし、散弾銃の弾、バッテリーなどの装備も買い揃《そろ》えた。

ただ、少々面倒だったのは、日本―コンゴ合同遠征隊結成にあたり、森林省と「議定書《プロトコール》」なる覚え書きに調印しなければならなかったことだ。

原案は用紙三枚全二十カ条にわたりえらく固苦しいフランス語でいろいろ書かれている。これらの条項により、森林省からドクターともう一人の役人が参加すること、また彼らにはそれぞれ日給一万三〇〇〇ＣＦＡ（約六五〇〇円）を二か月分前払いすることを余儀なくされた。

その代わり、交渉の結果、「遠征で得られた成果は日本で最初に発表する」権利を勝ちとった。

私はこの点についてはしつこいほど念を押した。

現在、産業も資源も豊かでないコンゴの政府は、本気で怪獣発見に期待を寄せている。もし、恐竜でも見つかればコンゴは一躍世界の注目を浴び、外国人がどっと押し寄せ外貨を落としてくれる。しかもそれを「コンゴ人自らの手で行った」と宣伝すればもちろん国際間で高い評価が得られるだろう。

だから、もしわれわれが怪獣を実際に発見すれば、まずその証拠となるフィルムやビデオテープの持出し禁止という手に出ることは充分予想できる。私はそれを恐れたのである。

他の条項も特に当たりさわりがあるものはないように思えたが、ただ第二章十一条の、

「この遠征の完遂後、調査隊はその装備あるいは機材を森林省に委託できる」

という一文の意味がよくわからない。ドクターに尋ねると、

「文字通り『委託できる』という意味だ」

「……………」

「わからないのか？　荷物をこのオフィスに置いていってもよいということだ」

「何のためにそんなことをするんですか？」

「次に調査に来るとき、わざわざ日本から持ってくる手間が省けるじゃないか」

「でも次といっても、いつになるかわからないし、ぼくたちの装備は日本でも使うからその必要はないと思うけど……」

私が断ると、彼は「いやそんなことはない」と〃委託〃の必要性をえんえんと説き始めた。その説明は支離滅裂で、英語、仏語で交互に聞いても、結局何が言いたいのかわからない。こっちもイライラして、その話はもういい、と手を振ったら、ドクターは大声を出した。

「委託でき、、、ると言っているんだから、少しぐらい委託したらどうだ。どうせおまえたち、モノをたくさん持ってんだから！」

「へっ？」

要するに、遠征が終わったら、装備を少しくれ、と要求しているのだった。

さすがにあきれたが、一国の政府の省が学生のクラブにモノをねだっているという事実にあわれを催し、ホテルに戻ってから、メンバーを集めて、チャリティーバザーを行った。

その結果、テント一一、ポリタンク一五、ＧＩコンパス一二、オリエンテーリング・コンパス一三、銀マット一数枚などを遠征後、森林省に寄付することにした。

ほとんどが、メンバーが私物として持っているものだが、正直いってろくなものはない。ちょっと気がとがめ、翌日、このバザー出品リストをドクターにおずおずと提出すると、

「充分すぎる」

と彼は満足気に頷《うなず》いた。

これで日本―コンゴ第一次合同調査隊の議定書に関する問題は終わり、私と森林省書記長との間で調印が行われたのである。

出発前夜

いよいよ出発が近づいてきた。本や余分な衣類、旅行小切手などの貴重品はジャングルへ持って行きたくないので、天理教会ブラザヴィル支所で預ってもらうことにした。

ここには浜田さんと森さんという二家族八人が暮らしているが、みなさん実に気持ちのいい人たちで、何かことある度にお世話になっている。

しかし、何よりもわれわれが好きだったのは、ここの人たちの気（前）の良さと奥さん方の料理のうまさであった。

この日は、ちょうど日本の天理教本部から来ていた村上さんという人とついでに少し話をしてから帰る。彼は、

「モケーレ・ムベンベは見つからないほうがいいね。そのほうが夢が長続きする。見つけたら〝なあーんだ〟ということになっちゃうからね……。今は気づかないだろうけど、後になったら〝オレよくこんなことやったなあ〟なんて思うんじゃないかな」

などとおっしゃっておられたが、あまり賛同できなかった。賛同できるほど、人間が完成されていたら、もうこんなことはやっていないだろう。

目標はあくまで怪獣発見であり、今回の遠征はこれからの活動の第一ステップなのである。

出発前夜、いつも元気な野々山さんをはじめ、みんな疲れているかのように黙って飯を食い、各自早々、自室に引き上げた。忍耐の連続だった一か月の準備がようやく、しかし、ふいに終わり、気が抜けてしまったのか、あるいはこれからいよいよ始まる本番を前に気

持ちが落ち着かなくなっているのか——不思議な反応だった。

何か想像の上では、出発が決まってみんなで大喜びし、明日からの日々について語り合う……などと思ったりするのだが、現実は意外にこんなものかもしれない。

しかたなく、私は一人で若き挑戦者を気取り明日から始まる奥地の生活に胸をふくらませようとしたが、いくらも想い浮かばない。そのうちに寝てしまった。

夢は見なかった。

第二章

テレ湖へ

リクアラ川を丸木船で下る

出発の儀式

インプフォンドへの旅立ち

三月二十二日、朝。われわれはブラザヴィルからインプフォンドへと向かう飛行機の中にいた。

離陸してもう三十分たつが、小さな窓から見える景色はいっこうに変わらない。見渡す限り大森林――というより、ほとんど深緑の海といった感じである。

ときどき黒い穴のようなものが開いているように見えるがあれは何だろう。沼、あるいは湿地帯か。また、コンゴ河の支流らしき川がのたうつようにうねりながらジャングルの中に消えていく。

やがて、また何のアクセントもないジャングル。地平線ならぬ〝森平線〟が、視界の彼方《かなた》にかすんでいる。

ここコンゴ河流域は全くの平地だから、山とちがってジャングルの中にいるときはジャングルそのものは見えない。どんなに歩いても、周りにたくさん木があるということしかわからない。というわけで「果てしなくジャングルが続いておるのだなあ」と人ごとのように感心できるのは、往復の飛行機、つまり探検の最初と最後だけなのだ。

しかし、そんな優雅な感慨にふけっていられるのも落ち着いてきたからだろう。出発のときは大変だった。われわれの噂《うわさ》を聞きつけ、自主的にチャーターされにきたトラックに乗って空港へ向かうまでは良かったが、そこからがえらい騒ぎだった。

とにかく荷物が多いのでバッゲージとして預けると超過料金がかかる。当然、機材は自分たちで守らねばならない。それで、他のコンゴ人乗客を見ならい三分の一ぐらい機内に持ち込もうとしたら、われわれだけチェックを受け、わからずやの空港職員はブーブー言うし、ドクターのパートナーとしてわれわれに同行する森林省の役人であるデデはそれに反撃するわ、日本人メンバーはただただボー然と立ちつくすわ、飛行機の時間は迫ってくるわ、ドクターは興奮してわけのわからぬことを叫びまくるわ……もう行けないかと思った。

私はカウンターの内側まで入りこみ、空港職員を相手に荷物を奪われたり奪い返したりと乱闘を繰り広げるうち、出発時間になり、双方あわてて混乱を収拾しなんとかかんとか飛行機に乗りこんだ。

結局、無事に出られたからいいものの、このぐらいのことでパニックする――それも、頭に血がのぼったドクターが率先してパニックを引き起こしている――のでは先が思いやられる。

ただ、一緒にいるデデがコンゴ人にしては珍しく落ち着いたいい人なので安心した。彼の本名ムビアラとは「みんなを落ち着かせる人」の意があるそうだ。まさしくその役割を彼には期待したい。

飛行機は急旋回し、ジャングルに墜落するようにインプフォンドに降りたった。

空港——といっても町はずれの草原に建物が一つあるだけだが——では、ここに住んでいるドクターの弟たち、前回の遠征でガイドを務めたサミュエル、それに誰だか知らないが会ったことがあるような気がしないでもない人たちがどっと押し寄せてきた。

「タカノ、ムカイ、タカノ、ムカイ！」

森林省リクアラ支局の時代もののランドローバーに乗って、支局へ向かう。前回初めてきたとき、やはりこの道を通った。

「この町の中心地はどこだ？」

ときくと、運転手はぶっきらぼうに、

「ここだ」

と答えた。これにはたまげた。広い草っ原に土壁の家が寄りそっているだけなのだ。道は舗装されておらず、泥々ぐしゃぐしゃだ。

「なぜ、こんなところに飛行機、それもジェット機が飛んでいるのだろう？」と不思議に思ったことを覚えている。半年ぶりのインプフォンドはちっとも変わっていない。ただ、泥々ぐしゃぐしゃだった道は車のわだちがそのまま干上がり、デコボコガタガタになっていた。

そう、今は乾季なのだ。ボアからテレ湖への道も今は水が引いているにちがいない。

支局に着き荷物を下ろす。支局長の許可を得て、インプフォンド滞在中はここに泊めてもらえることになった。物置き代わりに使用している部屋で、材木やコールタールのドラム缶と添い寝であるが、大人数、大荷物でいるときは、拠点ができることは何とも嬉《うれ》しい。

荷物の確認を行う。ザックだけでも二〇個以上あるうえ、機材のケース、ゴムボート……。どうやら全部あるみたいだ。こんなに量が多いとザックの一つくらいなくなっても全く気づかないので要注意である。

荷物チェックを終え、一息ついていると、先ほど空港からわれわれを運んできてくれたランドローバーがまた向こうからやってきた。

見ると、助手席に田村がマジメな顔をしてちょこんと乗っているではないか。こんな忙しいときに何で勝手に遊びに行ってるんだ、とムッとしていると、彼は車の運転手に何回も礼を言って降りてきた。なぜか、嬉しそうである。

「いや、空港で飛行機をずーっと見てたらいつの間にか誰もいなくなっちゃって……、荷物も何にもないし、もうあせっちゃって……」

突然おいてきぼりを食って困ってうろうろしている迷子の彼を、別な用事で再び空港にやってきた車の運転手が発見し、乗せてきてくれたらしい。その間、田村がいなくなったことに気づいた者は私を含めて誰もいなかった。これだけたくさん人がいると、メンバーの一人や二人いなくなっても全く気づかない。これも要注意である。

午後は、リクアラ地区の知事と会見する。「ノン・プロブレム（問題なし）」で、明日出発できそうだ。支局の中は蒸風呂なので、外にテントをたてて寝た。

昨夜は、涼しかったせいかぐっすり眠れ、珍しく健やかな朝を迎える。夜十時に寝て朝六時に起きる、ここの人たちと同じ生活がいちばん健康的だ。

しかし、朝のさわやかな気分も、金の話でぶち壊しになる。ミーティングの席で、

「リクアラ支局からも一人連れていかなければならない。その給料は九万CFAでいいだろう。それから、ボアの酋《しゅうちょう》長に四万〜一〇万CFA、それに村へのおみやげ……」

と、ドクターと支局長は平気な顔で、予期しなかった金を追加する。

「話がちがう！」

と憤慨したが後の祭りである。

アフリカではいつも、今いる場所の論理に支配される。場所が変わるたびに論理も変わ

る。結局、「ここは社会主義国だから、全《すべ》ての土地は国家に帰する」というかつてのドクターの主張は、首都ブラザヴィルの論理にすぎない。コンゴ人の彼は、そのあたりをよく心得ており早々と「地元の論理」にくらがえしたというわけだ。

この分では、ボア村でさらに一悶着、起きそうである。つまりは、国家の力がまだ充分に及んでいないということなのだが、これはいいことか悪いことかわからない。とにかく、われわれは、稀《まれ》なくらい行くのが困難でそれだけに興味深そうなところを訪れようとしていることは確かだ。

この日、私は一日中ドクターたちと次の目的地エペナへ行くための車を探し、炎天下を歩き回った。この町には車など数えるほどしかなく、ましてやこの大遠征隊を搭載できるような大型トラックはさっぱり見つからない。

結局、この日は出発できずじまい。夕方、ウバンギ川で水浴びしていると男の子たちがたくさん集まってきた。素っ裸でとんだりはねたりして子供好きの野々山さんたちと濁った水の中でじゃれあう。

ふと気づくと、少年たちの先端はみなよくむけている。ここには割礼の習慣があるのか、それとも恐ろしく早熟なのだろうか。

今日はドクターの三三回目の誕生日だったが、真っ赤な短パンにアロハシャツを着た警察官が現れ、えんえん二時間以上も荷物のチェックをする。彼は単三電池四本を巻きあげ、誕生パーティをぶち壊されブ然としているドクターを尻目に、ご機嫌でお帰りになった。

インプフォンド――エペナ――ボア

朝、早く起きるがすることがなく、ただひたすらトラックの到着を待つだけであった。突然、カメラマンの鈴木さんの出発が先に決まる。彼はここからわれわれと別れて、さらに北のモタバ川流域へ向かうのである。そこには、コンゴで最も伝統的な生活を営むピグミーがたくさんいるという。

「五月にはまた、一人も欠けることなく再会しよう」

が彼の最後のメッセージであった。

われわれの出発も突然だった。

「(トラック調達の)メドが全くたたない」というコンゴ人メンバーの言葉に金子と村上が始めた「究極のヒマつぶし」ともいえる〝鉛筆とばし戦争〟にみんなが熱中している。その時、いきなり巨大なトラックがやってきた。

こうして、リクアラ支局員のジャン＝クロードを加え、総勢一四名にふくれあがった大遠征隊の珍道中が再開されたのだった。

エペナへ至るよく舗装された道路の両側は、全《すべ》てジャングルに覆われている。巨大な樹樹、密生するヤブ、その間を縦横無尽に走り回るつる植物——まさに映画に出てくるような、ちょっとわざとらしいくらいの密林風景である。ときどきピグミーのキャンプが見える。熱せられたアスファルトの上をひたひたと裸足《はだし》で歩いていく、はちみつ採集帰りのピグミーのおばさんもいる。

インプフォンドへの航空路といい、新設されたばかりのこの道路といい、ここの風景には似つかわしくないものばかりだ。ひょっとしたら、この地域にウランやコバルトなどの資源が発見されたという噂は本当かもしれない。

そうなれば、この風景も変わっていくことだろう。

一時間半足らず、暴走の大型トラックはエペナに到着した。また、さっそく警察がやってきて、パスポートのチェックと事情聴取。インプフォンドと同様、ここでも掟破《おきてやぶ》りにもパスポートにスタンプを押しまくっている。そしてまた、インプフォンド同様、ここから人間を一人連れていけという。押し問答をしているうちに日も傾き、話は明日に持ちこしとなる。

近所の家から買ってきたアンティロープ（カモシカの一種）の肉をぱくついていると、突然雷が鳴り、スコールの来襲である。おかしい……。今は乾季の真っ最中のはずだが……。

一抹の不安を感じたが、雨は日本人にとってひじょうに心を和ませるものでもある。涼しくもなるしカエルの鳴き声も耳に快い。

空屋を一軒あてがわれ、そこで寝る。


翌日、村長宅で長々と会談したあげく、ボア行きの同意を得る。いつものように、話がまとまれば後は早い。

どこからともなく巨大なカヌー（丸木船）が現れる。全長一〇m近くはあるだろう。丸木船といってもただ丸太をくり抜いたわけではもちろんなく、船底と船腹はきれいに削られており、まるで板を張り合わせたように見える。このカヌーも、〝板のつぎ目〟であるはずの部分をさわってみたが、もちろん何もない。まちがいなくひと続きの木である。

荷物と人を満載しスタート。いつものように関係ない村人が便乗し、大声で騒ぐ。

さすがに乾季なので水が少ない。二mの高さに土手があり、その向こうの景色はあまり見えないが、草原が広がっているはずだ。

半年前は、水がその草原にまで及んで巨大な湿地帯を形成していたのだった。実際、このときは、この湿地帯にはまりこんでしまい夜が明けるまで水と草の広場をさ迷ったのである。

天気は良く、風が涼しい。川岸にときどき村が寄りそっているのが見える。水辺で洗濯しているおばさんたちは手を振り、泳いで遊んでいる子供たちはうきゃうきゃと叫んで水の中をはね回る。

また、二人か三人乗りの小さなカヌーがせっせと川をさかのぼってくるのに出会うこともある。別の村の親戚《しんせき》に会いに行くのか、あるいはエペナにサルの燻製《くんせい》でも売りに行くのだろうか。

川はジャングルのメインストリートなのだ。

一説には、この川にもモケーレ・ムベンベがいるともいわれているがちょっと信じられない。国道に怪獣が棲《す》むようなものだからだ。

夕方、ようやくボア村へ到着。たそがれの中に、ヤシの木も土色の家もかすんでいる。タムタムのリズミカルな音がこだまする。

妙に人がたくさんいる。ボアは小さい村だ。こんなに人がいたっけ……。みんな大歓迎してくれている。

「ンボテ《みなさん》・ナ・ビノ《こんにちは》！」

と叫ぶと、

「ンボテ《やあ》・ンボテ《いらっしゃい》・ンボテ・ミンギ《いらっしゃい》！」

荷物は子供たちが運んでくれる。ある夫婦の家を宿舎にあてがわれた。そんなに広くないので、荷物だけ中に入れ、戸口のわきにテントをたてる。

今日はもう遅いのでやることはない。飯を食ってミーティングを行う。食糧やガソリンのことを考えると、ポーターは三〇人くらい雇わなければならない、という結論になった。

ガイドは四人、調査は一週間ごとに区切ってローテーションを組むことにした。

難航する会議

「ドーン、ドンドンドーン」

朝六時、ドラの音のようなものが鳴り響き起こされた。続いて男のがなりたてるような声で、何か叫んでいるのが聞こえる。「日本」という遠い国から来た探検隊がテレ湖に遠征する是非をめぐって、これから話し合いがもたれるのだ。

現場に行ってみて驚いた。ある家の前に少し広い空地があり、家を正面として両側に人が並んでいる。私と数人の日本人メンバーは、ボアの村長《プレジデント》、エペナから来た役人、ドクターらとともに、右側に腰を下ろした。左側で椅子《いす》にすわった人々(屈強な男たちである)は、みな長い槍《やり》を尖先《きっさき》を上に向け携えている。われわれ異邦人を迎え、正式に、つまり伝統にのっとったやり方で、会合を開こうというつもりらしい。

槍を持った人たちはラフなスタイルで、それほど改まった様子もなく、子供たちも見物に来ていて、それだけでは、どちらかというと〝田舎《いなか》のちょっとした催物〟とも見えたが、すぐに「これはただ事ではない」ということがわかった。

家の真ん中に入り口があり、そこに一人の男が小さな木の枝で組んだ腰かけに座っている。

私は、その異様な雰囲気の男にほとんど感動した。獰猛《どうもう》な目つき、額と胸に濃く塗られた朱のペイント、腰は布で巻いているが、それ以外は裸ですばらしい体格をしている。年齢はさっぱり見当がつかないが、まだかなり若いようである。私は呪術師《じゅじゅつし》かと思ったが、はずれた。彼は村の言葉で「ンダミ」、つまり伝統的酋長《しゅうちょう》であった。

ボアは奇妙な村だ。長《おさ》が二人いる。一人はコンゴ政府の地方行政官としての村長、これは政府をとりしきる労働党の党員でもあるという。

もう一人は伝統を司《つかさど》る酋長《ンダミ》である。そして、村においては酋長の権限は何よりも強いらしい。つまり、政府の代表者である村長が格下になってしまうのである。

酋長は目をぎょろつかせ、イライラしたように手にした小さいほうきで足にたかるハエを払っている。

いつもせわしく動き回っているカメラ係の高橋は、このときもひょこひょこ酋長に近寄り、畏れ多くもアップの写真など撮り始めた。

さらに、何を思ったか酋長の両脇に置いてある槍と腰掛け（いかにも何か儀式的な意味があリそうな）を見つけ、その腰掛けに座ろうとして失敗し、ひっくりかえった。すぐさま後ろに控えていた白髪のなかなか強烈な顔の長老がとんできた。てっきり高橋をつまみ出すのかと思いきや、ひっくりかえった腰掛けをセットし直し、彼の両腕をつかんでちゃんと座らせた。「全く手のかかる子だ」と言わんばかりである。

ひっくりかえった高橋が立ち直るのを待っていたかのように、どこからか号令がかかり、参加者全員が立ち上がり、いっせいに、

「○△□×▲＊☆◎◇凹！」

と大声で叫び、ガッツポーズみたいに腕を前につき出した。私たちもわけがわからずそれを真似《まね》た。拍手が起こり着席した。どうもこれで開会したようである。

まず、村長がわれわれを紹介し、続いてドクターが遠征の趣旨を説明し始めた、いずれもリンガラ語である。ドクターの話が一段落すると、別な男が現れ、一ｍほどの高さがあるタムタムを傾け、股《また》にはさんで叩《たた》く。

「タン、タンタン、タタンタン、タンタン、タタタン、タンタン、タン、タン……」

太鼓係が引っこむと、これも長老の一人らしい男が槍を手にし中央に登場する。長老といっても、すらっと背が高く、やせていて、本人自身が槍のようである。変な言い方だが、老いたところが全く見られない老人だった。

彼は一歩二歩進み出て、小声で酋長に何やら話しかける。よく聞きとれないが、様子か

らして何か説明しているようだ。

彼の話が一段落すると、今まで私たちの顔を見ようが、高橋がそばで引っくりかえろうが全く無反応だった酋長が初めて口を開いた。やはり、よく聞えないが、ときどき「h」の音が混じるところを見ると、リンガラ語ではあるまい。

酋長の話がまだ終わらないうちに、槍の長老はまた中央に進み出て、槍の柄で乾いた白い地面をトントン叩きながら、今度はリンガラ語で、しかも大声で話し始めた。妙に気取って抑揚をつけた話し方で、村人の方を向いたり、私の顔をにらみつけたり、また酋長の方へ向き直ったりと、勿体《もったい》つけている。

「まるで芝居の役者ですね」

と小声でドクターに話しかけると、

「彼は酋長の通訳だ。酋長は直接、他の者と会話してはいけないんだ」

と教えてくれた。

なるほど、それで他の人間の意見をわざわざ彼が村の言葉に直して酋長に伝えるわけか。通訳はまた、酋長のスポークスマンであるから、その発言に威厳をもたせるべく、舞台のモノローグのように演出しているのである。

酋長が口を開いているときも、彼は聴衆に語り続ける。同時通訳をしながら演出を行うとは、なかなか多芸な老人である。

ひと通り酋長の声明が終わると、今度はわれわれの向かいに座った男たちが口を出し始めた。それにスポークスマンじいさん、村長、ドクターが応答するというフリートーキングになった。

発言する男たちは、みな決まってやけに尊大ぶった演説調で、いかにも「オレが主役」と言わんばかりである。ときどき、槍をもっていない方の手でわれわれを指差し、「ムンデレはいつもこうだ」とおおげさに嘆息してみせたりする。

ムンデレとは白人の意だ。ちょうど日本語の「ガイジン」という言葉そっくりで、劣等感と侮辱の気持ちがこめられており、聞くと不快になる。「ぼくたちはジャポネだ」と訂正しても、「だからムンデレじゃないか」と言い返されるだけなので黙って聞き流す。

何が「いつもこうなのだ」か知らないが、みんなが順番に言ってるところを見るとどうも深い意味はないらしい。

やがて、ディスカッションは熱を帯び、人々は他人がしゃべっているのをさえぎって勝手に声を張り上げ、スポークスマンじいさんはそれに対抗するかのように槍を振り回す。われわれのスポークスマンであるドクターは甲高い声で叫んでいる。突然、

「プォーッ、プォーッ、プープププープープププー……」

という音が鳴り響いた。

ディスカッションの最中、いちばんえらそうにしゃべりまくっている男が角笛を吹いて

いる。身体の中に響いてくるような音で、一瞬、会場は静まりかえったが、吹奏が終わると、さらにやかましくなった。長老たちと村長がぼそぼそ話し合い、やがて私に向かって、

「向こうで待っててくれ。これから村の人間だけで話をする」

と告げた。

第一R《ラウンド》終了。もう陽は頭の上にある。

儀式の会議と軒先の密談

われわれの昼飯用にと、村の若い男がスッポンを生きたまま解体しているのをしばらく見物していると、村長に呼ばれた。第二R《ラウンド》である。

先ほどの広場の隅に、今度は椅子が小さい輪に並べられている。

「酋長は湖での調査を基本的に認めた。これから条件の交渉に入る。早く例のものを用意しろ」

と言うドクターに従い、あらかじめ買い揃《そろ》えておいた塩五袋、ウィスキー一本、森永ミルクココア二袋を村上たちが運んでくる。

ドクターは、

「こんなものはプレゼントにふさわしくない」

と、森永ココアを無造作に押しのけた。てっきり私はコンゴ人はココアが好きではないのかと思ったが逆であった。彼は単に自分の大好物を失いたくなかったのである。

プレゼントはスポークスマンじいさんの手を経て、酋長の前に積み上げられた。相変わらず不機嫌そうな酋長と足もとの塩の山という風景は、それだけで一枚の絵であった。さて、またもや取りとめのないディスカッションが始まった。ドクターが眉間《みけん》にしわを寄せ、いら立った口調で抗弁する。

私もいささか耳が馴れてきた。「湖にムンデレが入るとよくないことが起きる」とか、「コンゴ政府のやり方は横暴だ」とかいうセリフが聞える。全くさきほどのディスカッションから進歩がない。

赤道直下の太陽は影もつくらない。わけのわからぬ議論を聞きながら暑さにボーッとしていると、ドクターに促され席を立った。村長とスポークスマンじいさんも後に従う。われわれ四人は近くの家の軒先でひそひそ話を始めた。

「入域料は一〇〇万ＣＦＡ（約五〇万円）と決まっておる」

と、じいさんが、おごそかにウソを言った。そんな話は聞いたことがない。

「冗談じゃない。五万ＣＦＡが限度だ」

じいさんは、しばらく考えこんで、またおごそかに言った。

「では、五〇万CFAでいかがか」

まだ、高い。

会場に戻って第三R《ラウンド》開始。一時間以上また実りのない議論をした後、われわれ四人は再び例の家の軒先へ。じいさん、槍をいじくりいじくりしながら、口を切る。

「四〇万CFAならどうか」

どうやら、実質的な交渉はこの軒先の密談に限られているようである。そういえば、ディスカッションの場において具体的な金額があげられることは全くない。ディスカッションは酋長の前で言いたいことをみんなが言ってるだけなのだ。会議というより儀式に近い。

こうしてラウンドと密談を重ねるごとに納入金は安くなり、結局、第六R、一〇万CFA（約五万円）で手打ちとなった。すでに日は西に傾き、私はかなり疲れていた。しかし、これで何とかテレ湖に行けるのである。


いったん決まると、話は早い。次の日は、村中がフル回転で出発の準備が行われた。

おばさんたちが総出でモソンボを作る。モソンボとは、アフリカで広く主食として栽培されているマニオックをすりつぶして練ったものだ。これをういろう状に固め、二本一組にして専用の大きな葉っぱで丁寧に包まれる。あとは食べたいときに、煮るなり蒸すなりすればいいらしい。

これが全部で三八〇組。それにマニオックの粉と米をそれぞれ四五kg、これらはボアにはないので隣の大きな村まで買い出しに行ってもらう。加えて、米が九〇kgすでに用意してある。

メンバー一四人とガイド六人が四十日湖に滞在でき、ポーター三〇人が湖へ二往復（行きと帰り）して、まだ余る。食糧に関しては大丈夫のようであった。

村長の手により大量のポーターとガイドも素早くリストアップされる。酋長はもうノータッチだからすんなりいく。村長は、言ってみれば村の事務局長である。

ただ、何でもかんでも、こちらの思い通りに進んだわけではもちろんない。ガイドは夫婦三組にしたいと希望していた。男より女のほうが働き者だと常々聞いていたし、奥さんがいたほうが男たちも心身ともに落ち着き、狩りに専念できると思ったからだ。

しかし、だめだった。村の掟で「ムアシ（女）は遠征《エクスペディシオン》に同行してはいけないことになっている」そうである。

また、村で昔から猟犬として飼われている犬がいて、それがあんまりかわいらしいので連れて行きたかったが、これも断念した。私がなでようとして、あやうく食いつかれそうになったからである。

そのかわり、ニワトリを一羽連れて行くことにした。

いざ、テレ湖へ！

ニワトリより早く起き、ヘッドライトの光で、パッキングを始める。ポーターに背負ってもらう荷物は平均三〇kgになるように分担しようとするがなかなかうまく行かない。そのうち、村中の人が子供も老人も集まってきて、わいわい騒ぐ、荷物をいじくる。注意してもうるさくて声が通らない。

ポーターが次々と、まだ荷作りの終えていないザックなりカゴなりをとり、

「オレはこれに決めた」

と言って、勝手に自分の家に持っていってしまったりするので、混乱がさらに広がっていく。

かんしゃくを起こしたドクターは、われわれにフランス語で怒鳴り散らす。

私も頭にきて、

「英語で言え！」

とわめくと、ムッとして英語で再び怒鳴り散らす。

「ギェーッ」と人が絞め殺されるような声を発しながら、ヤギが人込みをぬって走る。子犬が子供たちに「月面宙返り」を強要されてキャンキャン鳴く。

五〇人もの人間が出発するのはなかなかたいへんなのである。

われわれは事態を収拾すべく、村中に散らばった荷物を集め、改めて均等の配分にした。今度は気をつけてポーターたちに一列に並んでもらい、無事荷物を割りあてた、と思いきや、隅っこにまだプラスチックのバケツが残っているではないか。動物標本作製セットなので結構重く、誰も余分に持とうとしない。私とドクターは、誰か荷物が軽そうな者にそれを持たせようと、ポーターの列を先頭からチェックしだした。列の真ん中くらいでドクターの声があがった。

「何だ、こいつは子供じゃないか。なんで子供になんかポーターをやらすんだ」

確かに、十五歳くらいのひょろっとした子供が大人たちに混じってザックをかついでいる。

とたんに、村長とドクターの間で口論がわきおこり、さらに全く関係ない村人が例によって「おれにも何か言わせろ」と荷物をおっぽり出して集まってくる。「いいかげんにしろ！」ととさかにきた私が叫ぶ前に、当の子供が叫んだ。

「ぼくは子供じゃない！」

もう泣きそうだった。

「ぼくは子供じゃない……」

みんな黙った。

「わかったわかった。おまえはもう立派な大人だ。それはオレがいちばんよく知っている」

ドクターはあわててなぐさめた。そして、

「じゃ、おまえ、これ持て」

と、すかさずさっきのバケツを手渡した。子供はそれを実に複雑そうな表情で受けとった。

こうして、半日にわたる荷物分担は終わった。

一行は、一昨日、会議が行われた広場に荷物を背負ったまま集まった。酋長はまた朱のペイントをして、しかし今日は槍を右手に、立ってわれわれを迎えた。ポーターたちも槍を手にしている。

これから、出発の儀式があるようである。太鼓係が進み出て、発電機をしょったまま股にタムタムをはさんで打ち鳴らした。

酋長が、今日は通訳なしで演説する。何を言っているのか皆目見当がつかなかったが、挑発的な口調で、われわれの無事を祈ってくれているとは到底思えない。続いてコンゴ人メンバーと、日本人を代表して私が酋長のもとに呼ばれた。

私たちは、広場の方へ向き、一列に並ばされた。いつも酋長のそばに控えている白髪の老人が進み出た。われわれは愛情をこめて彼を〝じじい〟と呼んでいた。顔中に深いしわが刻まれ、なかなか渋い表情というより形相《ぎょうそう》を呈している。

じじいは並んだ私たちの頭とひげを一人ずつなでた。私はがさがさの手で、髪の毛と不精ひげを引っ張られた。滅多に見ない直毛なので引っ張りたくなったらしい。とにかく、これがじじいによるまじないのようである。

私たちが元の場所に戻ると、再びタムタムが打ち鳴らされ、角笛も響きわたる。じじいが今度は槍を二本、一本は左肩にのせ、もう一本は右手で投げる格好をしながら、広場の中央で、

「ヒーッ、ヒャヒャヒャ、ヒェーッ」

と奇声を発してとびまわっている。見方によれば戦士の踊りに見えなくもないが、あまりに滑稽《こっけい》なので、村人たちも膝《ひざ》をたたいて大笑いをしている。

喧騒《けんそう》の中、ドクターが自分の自動小銃を空に向けて乱射した。景気づけらしい。じじいはまだ踊り狂っている。私も何かわけもわからずハッピーな気分になり、みんなと一緒に奇声をあげながら森の入り口へ歩き始めた。

いよいよ湖へ至る道が始まるところで、酋長が再び短い訓示を行い、ドクターが散弾銃をぶっ放した。奇声、喚声、罵声《ばせい》がとびかい、女、子供もキャアキャア言って喜んでいる。

それを合図に、ポーターたちは早い者順にジャングルの中へなだれこんだ。しかも、長

い槍を持ったままである。

「おい、一体どうなってんだ！」

と誰か叫んでいたが、それどころではない。みんな走ってジャングルの中へ駆けこんだのである。

こうしてテレ湖への旅が始まった。

ジャングル道中

何やら騒がしいので眼が覚めた。家の中はまだ暗い。昔、授業中のいねむりから突然起きたときのように、「おれはどこにいるんだ」。しばらくボーッとしていたが、顔や体中の枯葉のかすを振り払うと、急に思い出した。時計を見ると六時、あわてて外に出た。

木の枝と葉でつくったピグミーの「テント」は、外から見ると小さなかまくらのようだったが、中にはいるとドーム型の天井がやけに心を落ち着かせる。なぜか蚊も出ず、ぐっすり眠れたのだった。

汗でぐしょぐしょの迷彩服を着こんで、粉々になったカロリーメイトを流しこむ。ポーターたちは相変わらず騒いでいる。彼らは、もう朝飯のモソンボを食っちまったらしい。中には、もうさっさと出発している者もいる。

狭いキャンプ地のはじで何かもめている。われわれ用のモソンボをポーターたちが食べている、とコンゴ人メンバーが怒る。

それから、村上の荷物を担当している男が、昨夜使ったテントを再搭載するのを拒んでいるらしい。気のいい村上は、「しょうがないからぼくが持とうか」などと言う。

私は彼の人格の完成度になかば感動しなかばあきれたが、リーダーとして有無を言わさず、そのポーターにテントを押しつけた。一度でもこんなことを許せば、そのうち全てのポーターが荷物を放り出し、湖へ手ぶらで走っていくことだろう。

その他にも、随所でもめていたが、いちいち構ってはいられない。

はちまきを締め、キャンプ地をあとにした。

昨日は、いくらも進んでいないのだ。村から湖まで五〇㎞とも六〇㎞とも言われているが、まだ一〇㎞ほどしか来ていない。

「隊を三つに分けて進む。先頭はおれ、真ん中は野々山さん、最後は高橋がまとめる。休憩は一時間に一回十分」

という私の指令は全く浅はかだった。ジャングルの民に、列に並んで行進しろと命じることほど現実離れしたことはない。彼らはみな自分のペースで自分の好きなだけ歩き、自分の気が済むまで休む。腹が減ったら飯を食う。だから、トップとビリは五〜六㎞も離れているのだが、最終的に目的地、テレ湖にたどりつければいいのである。

　私は数人のメンバーと、ある中年のポーターの後をついて黙々と森の中を歩いた。密生はしているが木々は比較的低く、かなり明るい。それに、わりとよく利用されているらしく、うっすらとだが切れ目のない道が続いている。

　今日は晴れているが、思ったほど暑くはない。湿度は、きっと湿度計で計ればかなり高い値を示すのだろうが、体感ではさほどたいしたことはない。虫の声がシーとしているだけ、静かだ。全身から噴き出し流れ落ちる汗が快い。素敵な熱帯雨林である。

　もし、コンゴのジャングルを歩くことがつらいとすれば、暑さでも、体中をはいずりまわる虫でも、毒ヘビや野獣（そんなものに出会ったら大喜びしてしまうにちがいない）でもなく、それは単調さだろう。どこまで行っても同じジャングル、同じ景色……。目的地に向かって前進しているという実感が全く湧《わ》いてこない。

　しかたなく、ときどきテレ湖のことを想像しようとするがうまくいかない。ここ二年間、数えきれないくらい「テレ湖」という文字を読み、書き、人に説明し、私の脳ミソの中で、それは白い希薄な抽象概念に昇華していた。

　テレ湖なんていうものが現実に存在するのだろうか？

　陽が高くなると、私のいる先頭グループはやたら飛ばし始めた。まるで走っているようである。かと思うと突然止まって、一時間も休んだりする。

昼頃ようやく後続部隊が到着。彼らは大ザルをしとめて食っていたらしい。まだ巨大な手の部分が残っていたので、今度は先頭グループが食い始めている。私も食いたかったが、そんなことをしていたら隊がメチャクチャになる（もうとっくにメチャクチャだったのだが）ので、我慢して先に行く。

午後、例の〝じじい〟が気合い満々で先頭に立つ。

私はこのじじいが好きだったし、妙にリズムが合うので一緒に先頭をつっ走る。

「それにしても」と息をはずませながら私は思う。「このじじいはすごい！」

年は六十をとっくに越えているはずだが、この元気さは何であろうか。背に三〇kgもの荷を積んだカゴを背負い、右手にブッシュナイフ、左手に三mの槍を持ち、道を切り開きながら進む。槍は穂先を握り肩にかついでいるのだが、後ろに長く残った柄は、密林の陰険なつる草にも引っかからないし、彼のすぐ後ろについている私にぶつかることもない。

足は他の人と同じ裸足《はだし》である。ここの人は村にいるときはサンダルをはいていても、どこかに出かけるときには脱いでしまうのだ。歩きにくいらしい。ポーターの中には、ご自慢の靴を頭の上にのせて歩いているのもいる。休み時間にはくためにである。

ともかく、じじいはひたひたと速い。必死についていくと、じじいは突然振りかえり、私と一緒にいた野々山さんをにらみつけ、怒ったように何か言っている。「手を出せ」と言っているらしい、手を出すと、あのガサガサの手でギュッと握り、

「ボヤリ・マカシ・ミンギ《おまえたちはとてもつよい》！」

と言って、ニッと笑った。と、次の瞬間はもう走り出していた。

全く面白いじじいだ。

この日は三時に行程を終えた。「オンゲヤ」というキャンプ地である。キャンプ地といっても、道が少し広くなった程度の休憩所だ。五〇人が寝転ぶためには、ヤブをかなり切り開かなければならない。

何人かはすかさずたき火をおこそうとしている。ジャングルの中はいつも湿っている。もちろん、なるべく枯木を拾ってくるが、雨を吸っていることが多く、理想的とはいえない。それに、彼らが集めた木はみな太いものばかりだ。さすがにマッチはあるだろうが、それだけであんな太い木に火がつくのだろうか。

昨日の夕方も、われわれは彼らの「火おこし」作業に注目した。特に、夏休みには日雇いから野外スクールのリーダーに早替わりする野々山さんは、「ジャングルのテクニックをぜひ学びたい」と食い入るようにみつめていた。男たちはしゃがんでたんねんに木を並べている。燃焼の効率を計算しているように思えた。私たちはその周りをとり囲んで今か今かと待ちうける。彼らはようやく木を並べ終え、一人が、マッチを取り出した。その男は不意に振り返り、言った。

「ガソリンを少しくれないか」

野々山さんががっかりしたことは言うまでもない。

というようなことがあったので、もう誰も「火おこし」に期待している者はいなかった。ただ、何となく、テントを立てながら見ていると、彼らは私たちに声をかけた。

「何だ、もうガソリンはやらないぞ」

「いや、そうじゃない。今日はこれでやる」

と懐から小石のようなものを取り出し、火をつけた、小石はメラメラと炎をあげた。

「燃える石だ」

と彼はニヤッとした。手にとってみるとガラスの固まりのようだ。実はこれは、ある樹の樹液が固まったものらしい。たちまちたき木に火がついた。やればできるんじゃないか。


村を出て三日目。やはり朝から早足で歩いたり、長々と休憩したりしながら進む。

十一時頃、「モラパ・ムネネ」というキャンプで休んでいると、突然あの〝じじい〟が立ち上がって大声で話し始めた。

「もう少しで、旧ボアの土地だ。神聖なところだから静かに歩くのじゃ。勝手に小便をすることもならん」

と言っておるらしい。

旧ボア村は、テレ湖から三㎞くらいのところにある。昔、ボア村の人々はそこで平和に暮らしていたのだが、一九三五年頃、フランス植民地政府軍の手で現在の場所に強制移住させられたという話である。

みんなは、急に柄にもなくおしとやかに歩き出した。一時間ほど歩くとまたキャンプに出た。旧ボアまであとどのくらいかとドクターに聞くと、

「イシ《ここだ》」

とのこと。えっという感じだ。それにしても、ずい分あっさりと来てしまったものだ。少し拍子抜けではあったが嬉しいという気持ちが先に立つ。

ちょっとした広場があり、周りはごく普通のジャングルで他のキャンプと変わらない。が、考えてみれば、村が捨てられて五十年にもなるのだ。全ては無に帰したのだろう。

「テレ湖までもうあとちょっとですね」

とドクターに笑いかけたが、彼は不機嫌そうに眉間にしわを寄せ、ひとこと言った。

「お前たちも、早く杖《つえ》を作れ」


「ついに来た！」

「拍子抜けだ」などと言った奴《やつ》は誰だ!?

われわれは、〝本物のジャングル〟というものを、最後にしっかり味わわされた。一見すると、変わらぬジャングルだが、下は完全な湿地帯だ。ボアの人々が〝ポトポト（泥の場所）〟と呼ぶ果てしない泥沼地獄であった。

杖でバランスをとり、なるべく木の根づたいに足を運ぼうとするが、あまりうまくいかない。「ずぼっ」と片足がはまり、抜こうとしてもなかなか抜けない、ようやくその足が「ぶじゅぶじゅ」と抜けると、今踏ん張ったおかげで逆の足がさらに深く「ずぼぼぼぼぼ」とめりこんでいく。

両足がものつけ根まで泥に埋まってしまうと、逆上しそうになる。「くそーっ！」「ふざけんじゃねえよ！」という怒声が、暗い森のあちこちで聞える。

私は途中でメガネを落とし、さらに探しながら自分で踏みつけぺしゃんこにしてしまったので、目も見えなくなった。

二十分くらい進むごとに休む。疲れていることもあるが、前後の人間がどんどん離れていってしまうので待たなければならない。

必死に泥と闘っていると、いつの間にか周りに誰もいなくなり、全然ちがう方向に進んでいたりする。

「おーい！」

と叫ぶと、泥沼の彼方から、

「こっちー！」

という声が返ってくる。

他のメンバーも相当に疲れているようだ。特に高林さんとドクターはバテている。携帯の水はあっという間に、渇いたのどに消えた。あとは、泥沼のうわずみをすくって飲んだ。こういうときは、「病気になってもいいから水を飲みたい」と思うものだ。

ガイド役の男が、一人、黙々と道なき道を先導する。

四時を少し過ぎたころ、ディド＝ヨンゴという名のポーターともう二人のポーターが救援に来てくれた。「大丈夫だ」というのに「いいからザックをかせ」とひったくるように私の荷物を胸にかかえた。ポーターとして自分の荷も背にしょっている。ちょっと並ではない。私は彼らの心意気にすっかり嬉しくなった。最後の方は、とぶように前へつき進んだ。

到着寸前、もう森のすき間からテレ湖が予感できるくらいのところで休み、後続を待つ。あと少しである。気持ちは落ち着いていて、別に何の感慨もない。

ちょっと白けた気分で最後の最後を突破し、私の見たものは……、ジャングルのすき間から忽然《こつぜん》と現れた巨大湖だった。

暗くうっそうとした密林を歩き続けたわれわれには、それは海のように見えた。私はほとんど呆然《ぼうぜん》とし、そのまま、水辺へ歩いていった。湖が丸いため、湖岸を形成している森は魚眼レンズでのぞいたかのように視界の両端で湾曲してみえた。じっとみつめていると、引きずりこまれそうだった。

他に言葉もなく、

「すげえ……すげえ……すげえ……」

とバカのように繰り返す。

これがテレ湖か、これがあの自分が口にしていたテレ湖か、これがモケーレ・ムベンベの棲むテレ湖か……。

ディドが湖の中へ入って私を呼んでいる。

「ヤカ・タカノ！《タカノこっちへこい》　ラック・テレ・アヤ・キトコ・ミンギ！《テレ湖はさいこうにすてきだぞ》」

言われるまでもなく、私もつかれたように水の中へ入っていった。水は紅茶のように赤く、湯のように温かく、底には泥と死んだ草がたまっていた。そのまま首までつかりながら、正面よりやや右の森に沈んでいく夕陽を見た。ディドが体をこすって泥を洗い落とそうとしている仕草がシルエットに映っていた。

涙が出そうだった。

「こんなこともあるのか」

とつぶやいた。何が〝こんなこと〟なのか自分でもわからなかったが、とにかくそう思ったのだ。

ふと我に返ると、パスポートや金が入っているウェストバッグを腰につけたままだった。

私は水を出て他のメンバーに会いに行くことにした。

岸辺で幸せそうにぷかぷか水に浮かんでいる高橋に声をかける。

「すげえなあ」

「ほんとでかいな。でも、高野、二年間の勝利だったなあ！」

この言葉が嬉しかった。

他の連中が集まっている場所に行く。ポーターたちとひとり一人握手をする。

「メレシ《ありがとう》・ミンギ《ありがとう》！」

そればっかりだ。別にこの湖が珍しくも何ともないボアの人々は、それを、疲れ果てた私がようやく目的地に到着してホッとしているせいだと思ったらしく、からかい半分に手を出してくる。

もうずっと前に、一番乗りで到着し、銀マットに寝そべっている戸部とも握手。

「日本を出てから四十日ですよ、テレ湖は遠かったなあ」

実感がこもっている。

遅れていたメンバーを助けに往復した後は疲労——三日分でなく今までの仕事全部——と感動の余韻で放心していたかったが、飯を食ったり、お茶を飲んだり、荷物をまとめたり、ポーターの足の傷に薬を塗ってやったり、帰りのポーター料金でもめたり、とすかさず現実に引き戻された。

そこへ突然のスコールの襲来。あわててテントにもぐりこみ寝る。すぐ横で高橋がジャングルの泥沼から出てきたそのままの格好で寝ていたので、臭くて臭くてしかたなかった。

テレ湖第一夜だった。

第三章

ムベンベを追え

24時間体制で怪獣を捜す

カヌーに横たわるゴリラ

いつ現れるかムベンベ

朝起きると、まず岸辺の見晴らしのいいところに腰を下ろし、思いきり冷たい空気を吸った。一夜明けると、テレ湖はいく分小さくなっていた。

この湖を測量したものは誰もいないので確かなことは言えないが、「最新の科学機器と人工衛星を利用した調査を行い、以前報告されていた地図を修整した」というアメリカ・レガスターズ隊によると、湖は北西―南東にやや長い楕円《だえん》で、長軸三㎞、短軸二・五㎞、周囲一〇㎞弱。

岸辺はほとんど湿地帯で、乾いていて固い土地というのはほとんどない。これはドクターや村人も言っている。現にわれわれがいる仮キャンプも、実は土の上にあるわけではない。湖の岸辺までぎっしり生えている木々の根っこの上に堆積《たいせき》した落ち葉の上にいるのだ。ポーターがたくさんいるので、重さで早くも〝土地〟がへこみ始めている。

双眼鏡をとり出して湖を見渡す。右から正面、そして左へとゆっくりと湖岸を観察するが、驚いたことにどこを見ても全く同じ景色である。

水辺まで同じ高さの木がびっしり生えそろっている。目につくくらいの岬、入り江、目印となるような木、植生がちがうところなどは皆無だった。金太郎飴《きんたろうあめ》のような湖である。

さて、このように地理的には全くポイントがないのだが、ベースキャンプを設置する場所はもう決めてある。湖北岸だ。過去の探検隊で怪獣が目撃されているのは、ほとんどがその辺りなのである。例のレガスターズによる恐るべき至近距離での目撃も、ドクターの目撃もだいたい同じ場所といってよい。

レガスターズとドクターは知る人ぞ知る犬猿の仲で、互いに相手の目撃談をまるで信じていないようだが、そのわりには両者の見た怪獣の姿形や場所が不思議なくらい一致しているので、かえってリアリティがある。また、ドクターの部下であるがレガスターズ隊に同行したジョニーは、昨年私にこんな話をしている。

「遠征の終わり近く、湖の北のほうで巨大な黒い影がスーッと動いているのを五分間ほど見た」

そして、怪獣を殺して食った後に住民が全《すべ》て死んでしまったという〝ピグミー村の跡〟があるのもその北岸なのだ。村の跡だったら土地も乾いているだろうし、住みやすそうである。ベースキャンプを張るのに最適であるような気がしたが、なぜか、レガスターズはそれを利用していない。

「実はアメリカ人も村人も、そこに泊まるのを嫌がったんだ。村が全滅したところなんか不気味でしかたないってね。えっ？　オレだっていやだよ、そんなところにキャンプ張るの」

と丸い目をさらに丸くしてジョニーは言ったものだ。

面白そうなので、ベースキャンプはその〝ピグミー村の跡〟に設置することにした。まさか怪獣に食い殺されるわけでもあるまい。もっとも、本当に食い殺されたとしたら、それはそれで本望ともいえる。

昼間は洗濯をしたり、荷物の整理をしたり、しゃべったりして、しごくのんびりと過ごす。しかし、バケツに水を汲《く》み、泥と汗がこびりついた服を両手でぐしゃぐしゃやりながら、ついつい湖のほうを見やってしまう。とにかく、いつ出るかわからないのだ。これから飽きるほど見張りをするんだから、と冷静に考えても、しばらくすると「いや、怪獣が四十日間にたった一度しか現れないとすれば、それはひょっとして今のこの瞬間かもしれない」などと思い、顔をあげてしまう。

私のイメージする怪獣像は決まっている。それは、ムベンベ探検に最初に手をつけたマッカル博士が唱える「古代の大型哺乳類カリコテリウム」などという妥協じみた代物ではなく、もちろんネッシー型の恐竜である。そいつは湖の水面にゆったりと浮かび上がり休息している。私の方から見て大きな背中が左側に、長い首が右側にあり、頭はしなやかな首をたわめて後方（つまり左側）を見つめている、と構図まではっきりしている。

双眼鏡には何も映っていない。鏡のように平らで浮遊物の全くない水面がキラキラしているだけである。

ポーターの大半は昼のうちに帰っていった。残った村人は、湖に置いてある二艘《そう》のカヌーで狩りや漁に出て、獲物をガバガバ持って帰ってくる。サル、ナイルオオトカゲ、カワウソ……。こんなところにこんなものがと驚く間に、彼らは手際よくバンバンさばいて鍋にぶちこんでいく。

飯の直後、突然、ボア村で経験したのと同じ胃腸の激痛に襲われた。激しい下痢と嘔吐《おうと》を繰り返す。それでもいっこうに楽にならず、一晩中テントの中を、隣に寝ている戸部を起こさぬよう七転八倒していた。(三月三十一日)

キャンプでの食糧事情

朝八時頃起きた。腹の調子はすっかり良くなっていた。私の身体はやる気を見せている。伸びを一つした。さて朝飯は何だろうか。

「ンゾコ(カワウソ)が焼けてるし、ングマ(ニシキヘビ)もオオトカゲもありますよ」

と森山が答える。さらに、ンビシ(魚)、ンデンデキ(カメ)もまた獲ってきた。

結局、食べたのは米にカワウソの煮込みだったが、これがまずくてまたショックを受けた。野生動物の肉というのは、どうしてかくもくせがあるんだろうか。だいたい固い。固い肉が骨にがっちりとくっついている。よく煮込んであっても固い。「食べて下さい」と言わんばかりのトリ肉やブタ肉のような物わかりの良さがない。骨に対する肉の執着心をありありと感じる。

と、一方的にカワウソがまずいのを野生動物のせいにしてしまったが、これを「うまいうまい」と食べまくっているメンバーもいるのだ。やはり私のジャングル適応力にも一因があるのではないだろうか、と朝からメゲてしまった。

が、何の気なしに村人のそばでゴロゴロしていると、カワウソの焼肉が出てきた。これはうまかった。柔らかいステーキのようで、焼け具合からミディアムといったところか。

その後も、ポーターたちが、たき火のところでなしくずし的に料理を作っているので、私もなしくずし的に食べていた。

その結果、森の獲物の肉は固くてくせがあるという第一印象は変わらないものの、それはあくまで一般論で、同じ動物の肉でも体の部位や料理の仕方で、柔らかかったりおいしかったりするときがあるようだった。

とにかく、これで少しは元気づけられたものの、毎朝毎晩、肉の煮込みと米、もしくはマニオック（イモの一種）という単調メニューが続くのには変わりない。四十日は長い。食糧が今後大きな問題となりそうだということがひしひしと感じられた。

午後、ゴムボートに乗って、ドクターとともにピグミー村の跡を視察しに出かけた。湖に出てみるのは初めてのことだ。空は青々と晴れわたり風もなく水面も穏やかである。高い木の梢《こずえ》を数匹のサルが跳躍しているのを見た。

ピグミー村の跡はヤシの木がおい繁《しげ》る涼しげなところだった。あまり広くはないが、地面は堅い土でできているらしく、ときおり訪れる村人が作っているらしいマニオックの畑もあり、湖の他の土地と較べるとやたら住みやすそうだった。おそらく昔ピグミーがここに住んでいたというのは本当のことだろう。その後の「怪獣を食べて皆死んだ……」の話はともかくとして。

しかし、本当のところピグミーはいったいどうなってしまったのだろうか。ここにキャンプを張って暮らしたら、ひょっとしたら何かわかるのかもしれないと思ったが、非常に残念なことにこのキャンプ設営計画は今朝方すでにおじゃんになっていた。

例の〝じじい〟が「あの村の跡にはピグミーのモリモ（祖先の霊）がいるから、キャンプなどもっての外《ほか》じゃ」と言って禁止してしまったのである。彼らの伝統は思っていたより強固だ。

帰ってみれば、もう二時間半が過ぎていた。湖をボートで移動するということが、予想していたよりはるかに面倒でしんどい作業であることがわかった。これでは湖の西側や南側にサブキャンプなど作れない。食糧など物資の輸送が一日の主な仕事になってしまうからだ。ピグミー村跡のそばにベースキャンプを設置するのがやっとであろう。サブキャンプは現在の仮キャンプ付近が妥当という結論に達した。

相変わらず、日本人とコンゴ人の間で連携がうまくとれていない。夕食は何にするか、誰が作るかでひとしきりもめる。私は通訳でどちらからも文句を言われる。とにかくコミュニケーションは大問題だ。日常会話がやっとである。私とまあまあ同じくらい英語ができるのは戸部くらいで、後のメンバーはさっぱりという悲惨な状況である。今日もドクターが森山に、

「魚を料理できるか」

と尋ねたのだが、森山が質問の意味がわからずにボーッとしていると、ドクターは彼が料理をできないと思い込んでしまったらしい。それで、そのすぐ後、森山が魚を日本風に料理し始めると、

「彼は何も知らない、早くやめさせろ！」

とコンゴ人たちは叫ぶのだった。

毎朝毎晩こんなことの繰り返しだ。そして必ず〝天下の伝令役〟たる私が右往左往して事態の収拾に努めることになる。医療係の金子が呼ぶ。

「ドクターが薬のことで何か言ってるよおー」

動物係の高橋が来る。

「標本のことでドクターに頼んで欲しいんだけどな」

…………。

正直言って疲れる。（四月一日）

ガイドの反乱

昨日の夕方、ガイドのディド＝ヨンゴたちが村の掟に触れないベースキャンプ予定地を発見したとのことなので、今朝は八時から移動作戦を開始する。

ゴムボートは本来二人《ツーメン》乗りなのだが、強引にメンバー四名と荷物を満載し、よたよたと出航した。私はディドの操るカヌーに便乗し目的地へ向かった。さすがにカヌーはゴムボートに較べればかなり速い。五十分くらいして、例のピグミー村から少し行ったところにベースキャンプ予定地が見えた。

すでに雑草や立木はきれいにカットされ、波打際に投げ出されている。そして、土地が岬状に突き出ているので、湖上から見ると、まるで〝基地〟のようだ。子供の頃よくやった基地ごっこの〝基地〟そのものとも言っていい。思わずこの基地そのものにワクワクしてしまった。

しばらくしてゴムボートの四人が到着した。

野々山さんが先頭に立ち、さっそく都市計画を始めた。野々山さんは前にも言ったように「ホントウの日雇い」なのだが、夏や春の休みには子供たちの野外スクールのリーダーをしており、将来は自分で野外スクールを主催しようと思っているくらいの、いわばキャンプ生活のプロ（？）である。

野々山さんは、そのワイルドな風貌《ふうぼう》と酒に酔ったときのすさまじい暴れっぷりから、「野々山を知らない奴《やつ》はモグリだ」と日本中の大学探検部で評判をとった人だが、一緒に生活していると、素面《しらふ》のときはひじょうに純粋で繊細な人である。キャンプのことは彼に任せておけば心配なさそうだった。

私は岬状の先端からひとしきりテレ湖を眺めた。見晴らしは抜群だ。湖を一八〇度全開で見渡すことができる。対岸まで三㎞という距離も心配していたほど遠くは感じられない。望遠レンズがあれば問題がなさそうである。怪獣探しにはもってこいのキャンプサイトだ。

生活という点で見ても、やや手狭であるという感はあるものの、岸辺までびっしり繁った樹木のおかげで直射日光が当たらず、湖の南側から吹きつけてくる風が涼しい。

好きになれそうなところだった。

私はまだ仮キャンプに仕事があるので、ゴムボートで名残り惜しくもこのベースキャンプを後にした。いずれ嫌というくらいそこで暮らさなければならないのだ。

夕方、いきなり大問題が起きる。残った六人のガイドはわりとまともな人材だと思っていたのだが、そのまともな人材が三日目にして早くも反乱を起こしたのである。

「一日一〇〇〇CFA（約五〇〇円）は安いから一五〇〇CFA（約七五〇円）にしろ、さもなきゃオレたちは明日の朝、村に帰る」

というのだ。短気なドクターは怒り狂い、穏やかなデデはブツブツ文句を言い、無口で若いジャン＝クロードは黙っている。われわれは反乱を起こした彼らの愛嬌《あいきょう》のあるちょっとすねた態度に、どうしても憎しみを感じることができない。ただ、せっかく仲良くなりかけた彼らがそんなことを言うので少し寂しかった。戸部がディドと話をしている。

「オコケンデ・ナ・ムブカ・ロビ・ナ・トンゴ《あすのあさむらにかえるの》？」

「エー《うん》」

「ンガイ・エセンゴ・テ《ぼくうれしくない》」

片言の外国語を話すときは、ボキャブラリーの不足から、いやおうなしに会話が子供子供してしまうのではあるが、それにしてものどかな情景である。雇い主が使用人に裏切られている場面とは思えない。

それを見た私も危機に直面した隊のリーダーとしてはいささか不謹慎だが、クスクス笑いをこぼした。彼らはわれわれのことをとんでもなく無邪気に思っていることだろう。実際、向こうもわれわれに対しては何の悪感情も抱《いだ》いていないようである。ドクターとロゲンカしながら、こっちと目が合うとニコッと笑うのだ。黒い顔にキョロッとした目と並びのいい歯がキラッと光る。屈託がない。こちらにも向こうにも。

「若いとはいいことだ」と私は思った。若いからナメられることはしょっちゅうだが――今の反乱もそうだ――、若いからといって憎まれることはない。

しかし、だんだんそれどころではなくなった。問題そのものはこじれにこじれて修復不可能となってしまったのだ。ドゥーブルという名のガイドを除く五名は明日の早朝に村へ発つようである。

われわれがいくら「ジャングルは思ったより安全だ」「意外に快適だ」などと落ち着き払って言っても、それは全てボアの村人あってのことである。だいたい食糧がどうにもならない。米やイモも限られている。

私は自分たちで狩りをしなければならないと真剣に考え始めた。まず、銃の使い方を覚える。これは難しくはないだろう。しかし、森の中で動物の声を聞き、高い梢の上にある巣を見つけ、音も立てずに近寄り、獲物をとらえて解体する。そこまでマスターするのにどのくらいかかるだろうか……。

やはり、どう考えても四十日ではどうにもならない。だいいち、サバイバルに必死になっていたら怪獣調査どころではなくなり、何をしに来たのかわからなくなる……。

私は考えるのをやめた。考えてもしかたない。（四月二日）

調査活動開始

本日から、本格的監視の開始だ。ベースキャンプではもうすでに見張りについているとの報がトランシーバーの定期通信で伝えられた。風が冷たく、とても気持ちのよい朝だ。そういえば、ボアを出てジャングルに入って以来、ほとんど暑いと思ったことがない。温度計で見ると夕方でも三二℃くらいはあるのだが。湿度も高いし、不思議である。

幸いにもガイドは三人残った。副村長であるドゥーブル、ドクターの説得で思いとどまったイサック、それにおとなしいヴィクトールである。

ヴィクトールは、ボア村の例の酋長《ンダミ》と何か関係があり、今回の遠征においては酋長の〝伝統の力《トラディショナル・パワー》〟の代表者であるという。ピグミーの祖霊からわれわれを守るのが使命だそうだ。二日前の夜中、お祈りみたいなことをしていたのも彼であった。

しかし、うるさい連中がいなくなって静かになった。もっとも彼らは働き者でもあったので、これからが心配だが……。

午前中は輸送の仕事に励み、一時すぎにようやく最初の飯を食って、私もベースキャンプに移動する。

昨日の〝基地〟は、狭いところにテントと人がせめぎ合い〝難民キャンプ〟という感じで、これから一か月以上もここで生活するのかと思うとややげっそりしたが、野々山さんらのおかげで都市計画はかなり進んでいた。

「なかなか大変だよ。日本じゃ全然人がいないところに一か月以上も続けて滞在することないからね」

と野々山さんは言った。

彼は立派なトイレを作ってくれていた。かなり広く深い穴を掘り、その上に太い枝でしっかりとした足場を組んである。地面を掘っていくと、木の根が入り組んで絡み合い、面倒な作業だったらしい。しかも、この土地もやはり固い土地ではなく、地表から二〇㎝下にはもう水が来ている。おかげで、野々山さん苦心の便所は、はからずとも〝ポッチャン式〟となってしまった。私も試してみたが、水の飛びちりが激しく、なかなかつらいものがある。まあ、二、三日すれば、それをよけるテクニックも向上するだろう。

食糧置場や食器棚は、立木を利用し、つるで枝を固定して作る。私も少し手伝った。材料にはなかなかいい直立した木があるが、切ると切口から血の色をした樹液がしたたり生生しい。それをブッシュナイフで切りまくる。最近イライラが高じているので、多少の欲求不満の解消になった。

その他、洗濯場、食器洗い場、風呂場、水汲場《みずくみば》を決めた。とはいっても、水辺の湖に向かって左側で洗濯をし、右側で食器を洗い、やや岸から離れたところで身体のあかを落とし、もっと離れたところで飲み水を汲む、としただけである。利用できる水というのは〝母なる湖〟しかないのだからやむを得ない。何も決めないよりはましであろう。

そして、ベースキャンプでは「見張り」が始まっていた。

当番は、朝勤（午前六時〜午後二時）、昼勤（午後二時〜午後十時）、夜勤（午後十時〜午前六時）と分けられている。今週の昼勤は向井と田村だ。

キャンプの先端にある巨木の下にベンチが設置され、そこに当番の二名が仲良く並んで腰かけ、じっと湖を見つめている。その前に五〇〇㎜望遠レンズが大きな三脚にどっしりと据えられている。

また、そばの装備テントにはムベンベ出現にそなえ、ビデオカメラ、カセットレコーダーなどがいつでも使える状態で用意されている。

彼らは黙りこくって座っており、ときどき望遠レンズか双眼鏡で確認している。最初のうちは二人で何やら楽しそうに喋《しやべ》っていたが、そのうち黙ってボーッと湖面を見つめているだけになった。二人で話をしていても、すぐ種が尽きてしまうらしい。いつ出るかわからないものを見張る、何とも虚《むな》しい作業だ。「これは思ったよりつらい仕事になりそうだ」という予感がした。

このキャンプは見晴らしがたいへん良い。だから、昼のうちは監視係以外の人間も自分の仕事をしながら見るともなしに湖を見ている。が、夜ともなるともっと大変だ。起きているのは夜勤だけだし、今日など曇っているので、肉眼ではあまりよく見えない。スターライトスコープ（夜間暗視装置）が頼りである。月さえ出ていれば、完璧《かんぺき》に見えるのだが。

夜中にテレ湖を見張った者はまだいない。ひょっとすると怪獣は夜行性の動物かもしれず、夜勤の人間が〝第一発見者〟となる可能性は高い。今週の当番、金子と戸部が気合い充分で見張りについたのを見届け、私は眠りについた。

金子は時計を見ながら秒読みを始めた。十時ジャスト。昼勤の向井、田村と交替し、戸部とともに見張りを開始した。みんなはそそくさとシュラフにもぐりこんでしまった、薄情な奴らだ。明日の朝までとは言わないまでも、せめてもう少しつき合って欲しいものだ、と彼は思った。

まあ、みんな昼間にそれぞれ自分の仕事があるからしかたないか。機材係の向井は監視台のベンチの横に陣取って、いざというときのために備えている。「しばらく起きていて話し相手になりますよ」などと言っていた向井も、一時間もしないうちに眠ってしまった。

隣のたき火を囲んで騒いでいたコンゴ人たちもいつの間にか静かになっている。起きているのは戸部と自分の二人だけである。

しばらくの間は、ムベンベのことや他の話をしていたが、そのうち話題も尽きてきて沈黙が続く。夜の静けさの中に怪しい鳥の声が響き、遠くの方で「ボチャン」と水の跳ねる音がした。一瞬ドキッとして音のした方を振り向くけれど、何がいる訳でもない。立ち上がってスターライトスコープで確認する。やはり何もいない。ただ黒々とした森が圧迫感を与えている。

あこがれていた熱帯ジャングルに、今まさにいることを実感し、しばらくの間感動に浸ってしまう。日本を出発する直前までのあの忙しさがウソのように思われるほどゆったりとした時間……。

しかし、そんな幸せな時間も、長く続きすぎると気持ちが不安定になってくる。まわりを見渡すと、今起きているのは戸部と自分だけであることにあらためて気づく。

頭の中で自分の姿を想像してみる。黒々とどこまでも続く密林のど真ん中にある湖のほとりに、ちっぽけなランプが一つと二人の人間しかいないのだ。

急に心細くなって戸部に話しかける。ボソッと答えが返ってくる。よかった、まだ生きている。

しばらくすると再び沈黙の世界。楽しいことを考えようとするが、前日、野々山さんが話していた幽霊のことを思い出し、どんどん深みにはまっていって抜けだせなくなっていった。

さきほどまで出ていた満月をすぎたばかりの月は、いつの間にかかげっていた。湖の対岸の空に一瞬閃光《せんこう》が走った。空一面が次第に黒雲に覆われ、閃光が絶え間なく炸裂《さくれつ》し始めた。

雲の中からＵＦＯでも現れそうな、非現実的な感じのする光景だった。

南の方から激しい風が吹き出し、寝ていた他のメンバーが起き出した。急に沈黙の世界から解放されてはしゃぎたくなる心を抑え、雨に濡《ぬ》れてはまずい物を急いでテントに放り込む。

ドクターも起き出してきたが、「雨は降らない」と断言して寝てしまった。

金子は不思議に思ったが、果たしてドクターが言った通り雨は降り出さなかった。

この騒ぎも一時間ほどでおさまり、湖は再び元の静寂に戻った。永遠に続くかと思われた暗黒に、今度は睡魔との闘いが加わる。もう半ば閉じかけた瞼《まぶた》を振り払ってスコープをのぞく。そして湖の左端から右端へできるだけゆっくりと視界を移していく。できるだけ時間をかけて仕事をしたいからだ。横を見ると、戸部も必死で眠気と闘っている。

五時過ぎ、ようやく東の空が白み始め、スコープなしで観察が行えるようになった。六時きっかり、朝勤の高林さん、村上と交替。頭の中がもう空っぽになっていた。

こうして夜勤第一日目は、ムベンベを目撃することもなく終わったのだった。ほんとうに長い長い一夜だった。（四月三日）

ムベンベ新情報

湖で交す会話にもいろいろあるが、何が楽しいといっても、モケーレ・ムベンベの話をしたり聞いたりするくらい楽しいことはない。それも、ガイドやドクターから新しい話が聞ければ、なおのことである。

三日前、まだ仮キャンプにいたときの話だ。それまでガイドとわれわれは別々のたき火を囲んで食事をしていたが、その晩は「チームワークの向上を計ろう」ということで、日本人メンバーはガイドたちのたき火に参加し、遅い夕食をとった。コンゴ政府役人グループは興味がないらしく、離れたところで食事をしているようだった。

ガイドたちは明らかにわれわれの友好的態度を喜んでいるようで、お互い言葉があまり通じないにもかかわらず楽しくやっていた。

「ナコペサ・ムワシ・ナ・ヨ《むらにかえったらおまえにおんなをやろう》」

「メレシ・ミンギ《どうもありがとう》」

という低レベルの会話であるが。

そのうち、私がふと思いついて、

「この中でモケーレ・ムベンベを見たことがある人はいる？」

と尋ねると、驚いたことに二名が名乗り出た。マーフとイサックである。普段彼らはあまり進んで怪獣の話をしたがらない。〝村の秘密〟を外国人にはあまり言いたくないのかもしれないが、それ以上にボアの人間は、ドクターをはじめとする政府の人間にかなりの警戒心を抱いているようなのだ。自分たちの生活が脅かされてきているという危機感からなのだろうか。

とにかく、この二人も今まで何日もわれわれと一緒にいるのに全くそのような話はしたことはなかったのである。私も他のメンバーも身を乗り出した。赤々とゆらめく炎ごしにもみんなの表情が真剣なのがわかる。イサックから話し始めた。

「おれがディノゾー（フランス語で恐竜のこと）を見たのは、コンゴ隊のガイドとしてこの湖に来たときだ」

彼は今から五年前、ドクターが怪獣を目撃したときに現場に居合わせたらしい。

湖に着いて四日目、用意していた食糧が尽き、明日の朝はもう村に帰らなければいけないという日の夕方だった。イサックはドクターと一緒に、ここからもう少し北側の森に入って狩りをしていた。サルが一匹獲れ、薄暗くもなってきたので、そろそろ帰ろうとしたとき、湖から悲鳴が聞えた。

ドクターと彼は枝をかき分け、岸辺へふっとんで行った。悲鳴はまだ続いている。見ると、もう一人のガイドがカヌーの上で叫びながら湖の北西を指差している。何かいるのだ。

「それを見て、おれは本当にびっくりしたよ。こーんな黒くてでっかいものが水面に浮かんでいたんだ」

と彼は目をまん丸くして、両腕をいっぱいに広げて見せた。

彼の話では、物体までの距離は判然としないが、どうもそれほど近かったわけではないらしい。四、五〇〇mくらいだろう。ドクターの報告では、「長い首と黒く大きな背中」と描写されているが、彼には首らしきものは見えなかった。それについては、

「おれはドクターより少し後ろの方にいたからわからなかったのかもしれない」

とのことである。その黒い物は二十分くらいじっと動かなかったが、最後に突然、水面下へ消えてしまったという。

一方、マーフが「ディノゾー」に遭遇したのは、今年（一九八八年）の二月で、村人の間でもこれがいちばん最近の目撃事件であるらしい。わずか二か月前の話である。

何人かの仲間と湖にやってきて狩りと漁をしていた。ある朝、いつもと同じように狩りに出ようと一人カヌーで漕《こ》ぎ出したところ、湖の中央の方に、やはり「黒くてとてつもなく大きなもの」が浮かんでいるのが見えた。彼は四十分ほど見ていたが、それは全く身動きせずじっとしており、しまいに急に姿を消したというのは、イサックの場合と似ている。

われわれはうなった。夜、まさに現場のテレ湖で聞く目撃談は不気味なくらいリアルだ。背後に気配を感じそうである。

さらに、もう少しその〝黒くて大きい物〟の様子を具体的に知りたいと思い、ノートとボールペンを差し出し「絵を描いてくれ」と頼んだ。

マーフはしばらく考えこんだが、やにわにペンを握り直しノートの片側のページいっぱいに絵を描いた。私は「えっ」と声を出してしまった。長い首に同じく長いしっぽ、大きな胴体にゾウのような足が四つ。私が子供の頃よく描いたブロントサウルスの下手《へた》くそな絵そのまんまである。

なぜ〝黒くて大きな物〟が絵ではブロントサウルスになるのか、初めは理解に苦しんだが、やがて拙《つたな》いコミュニケーションの応酬の結果、それが、彼の目撃したものではなく、ボアの村人一般に普及している怪獣の想像図《イメージ》であることがわかった。全くびっくりさせる。

その他にも彼らはいろいろなことを教えてくれた。怪獣が出る時間帯は決まっていない。朝、昼、夕方、そして夜中にも目撃されたことがあるという。また、一年を通しても特にムベンベが元気よく動き回るシーズンというものはないらしい。彼らしい表現で「雨季に見られることもあるし、乾季に見られることもある」。つまり、出るときには出て、出ないときには出ないのだ。

イサックの話では、ここ数年ムベンベが出現する回数は減ったという。

「人間が湖によくやってくるようになったからだ。今じゃ一年に一回しか出ないんだ」と悲しくなるようなことを言う。今年は二月にマーフが見てしまったから、もうわれわ

れが滞在するうちは出ないということではないか。そうイサックに抗議すると、彼も困ったらしく、

「まあ、きみたちは一か月もここにいるんだから、きっと見られるよ」

と根拠のない返事で慰めてくれた。

目撃談は細部《ディテイル》に少し疑問があるが、全体的には信頼できそうに思えた。聞いているうちに、みんなやる気が燃え上がってきたのである。

夕刻。先ほどようやく本日の朝食、と呼べるかどうかわからないが、とにかく初めての食事を終えたばかり、まる一日の空腹から解放され放心状態である。

ぼんやりと三日前ガイドに聞いた目撃談のことをつらつらと思い出す。最後、われわれに気を遣ってくれたときのイサックの真面目《まじめ》な顔が浮かび一人で笑ってしまった後、あの晩一つ重要な話を聞き損なったことに気づいた。私はたき火の周りにたむろしているコンゴ人たちの誰にというわけでもなく言葉を投げかけた。

「モケーレ・ムベンベとはどういう意味なのかな？」

ドクターが、ドゥーブル、イサックと少し相談してから答えた。

「リンガラ語で〝虹〟のことだ」

彼の話では、ムベンベは雨上がりに現れることが多いのでこの名がついたのだという。

正確にいえば、「虹とともに現れるもの」となるらしい。以前、アメリカ人のマッカル博士はモケーレ・ムベンベを「川の流れをせき止めるもの」という意味であると報告したが、全然ちがっている。

また、村で話されているボミタバ語では、〝エメラントゥカ〟と呼ぶらしい。意味は、「(ヤシの実やバナナなどの)房を丸ごと飲み込むもの」である。ムベンベが果実の房を食べるという話も初めて聞いた。

どうも、聞けば聞くほど新しい事実が現れてくる。しかもそれらが意外に奥行のあるリアリティを持っているかと思えば、前の話と矛盾を起こしたりする。何がどうなっているのかよくわからない。〝不確定性原理〟のような怪獣である。本当にこいつの正体は何なのだと言いたくなる。

実在してもしなくてもいいから、とにかく白黒はっきりして欲しいものだ。(四月四日)

怪獣現わる!?

「モケーレ・ムベンベだ!」

村上の絶叫を耳にし、私は文字通りはね起きた。

「どこだ!?」

とテントから転がり出てどなる。村上が西の方を指差すのを追うと、カヌーに乗った二人のガイドが小さく見える。彼らはそこからさらに南方を示しながら何やらわめいている。目をこらすが、ただでさえ遠いうえ、昨夜降った雨のせいだろう、水温三〇℃の湖面からもうもうと白い湯気が立ち昇っている。たいへん幻想的な雰囲気ともいえたが、今はそれどころではない。

「これじゃわからない！　双眼鏡はないのか!?」

しかし、昨夜の暴風雨で、五〇〇㎜レンズをはじめ、双眼鏡などの機材は残らず撤収してしまっていた。完全に不意をつかれていた。めちゃくちゃになったキャンプを右往左往し、ようやく見つけた双眼鏡で見るが、何も見えない。穏やかな湖面に白く水蒸気が漂っているだけである。

怪獣はもう消えてしまったのだろうか……。ふと、時計を見ると、六時四十五分。心臓が高鳴っていた。

その日の朝勤だった高林さんと村上によると、六時ごろドゥーブルとイサックは、いつものようにカヌーに乗って狩りに出た。かなりしてから、彼らが叫び始めたのだが、はじめは何を叫んでいるのかよくわからなかったらしい。しばらくして「ムベンベ！」と言っているのがわかり、それで村上の絶叫に至ったという。

ドゥーブルらが騒ぎ始めてから私が時計を確認するまで約五分くらい。つまり、ムベンべらしきものの出現に彼らが気づいたのは六時四十分ごろということになる。

結局、ドクターを含め、キャンプにいたメンバーは誰もそれを見なかったのであった。ドゥーブルたちはそのまま狩りに行ってしまった。みんな(夜勤疲れで目も覚まさない金子と戸部を除いて)、未練がましくなめるように水面をいつまでもいつまでも見ていた。

「残念だけど、またチャンスがあるよ」

誰かがそう言い、私たちはのろのろと日常の朝に戻った。

ドゥーブルたちが帰ってきたのは、もう昼も近くなってからである。私はたまらずにカヌーまでとんでいき、ドゥーブルに何を見たのか尋ねた。その話をしたくないのか、あるいは単に狩りから帰ったばかりで疲れているのか、彼は不機嫌そうだった。しばらく押し黙った後、

「何か黒くてすごく大きなものが、湖の真ん中のほうに見えた」

とようやくそれだけ言った。どういう形だったか、本当にムベンベだったのか、などときいても、「知らない」「わからない」と繰り返すばかりである。ドゥーブルは以前から、ムベンベを目撃したことはないと言っていたはずだ。

では、なぜこんなにも落ち着いているのだろうか。その疑問を口にすると、

「この程度のことならよくある」

彼はこともなげに言い、獲ってきたばかりの魚を料理しはじめたのだった。

〝モケーレ・ムベンベ〟――「虹とともに現れるもの」か……。

前日聞いたことが、こんなに早く実現するとは誰が予想しただろう。

この出来事で、現金なことに、今まで憂うつだった雨が、急に待ち遠しくなったりする。

しかし、ふと思う。ほんらい乾季には雨がほとんど降らないはずだ。その間ムベンベはどうしているのか。全く現れないのか。それとも任意に姿を見せるのだろうか。それならば、「虹とともに現れるもの」――看板に偽りありではないか。

とにかく、今はそんなことに悩まなくてよいのだ。(四月五日)

ソナー探査と田村の発病

今日から本格的なソナーでの探査を始めた。

ソナーとは日本語でいうと「水中超音波探知機」となる。水中に発せられた超音波が底にぶつかってまた水面まではね返ってくる、その時間差を計って水深がわかったり、超音波が水中で何か物体に遭遇するとスクリーンに黒い影が映るという便利な機械である。

午後一時、今週の活動班員である森山とゴムボートに乗り込んだ。

昨日、森山が木を組み合わせて作った台にソナー本体と電源用のカーバッテリーを据え付けると、見事なくらいぴったりと安定した。

「中学生のとき『技術』では〝5〟しか取ったことがないんです」

と森山は胸を張った。

さて、サブキャンプへ向けて出発である。空は晴れ渡り、綿をちぎってばらまいたようなふかふかした雲が青の中に浮かんでいる。日本では見たことのない形状のため、われわれはこれに〝コンゴ雲〟という安直な名前をつけている。いかにも手触りがよさそうで、しかもすぐそばにあるような感じがするので、手を伸ばしたくなったりするくらいだ。

……それにしてもゴムボートはのろい。二人の漕ぎ手がそれぞれ右と左を漕ぐのだが、利き腕の違い、風向き、あるいは漕ぎ手のやる気などでなかなか二人同じ強さでは漕げない。片側が強いとどんどん曲がっていくので、強い方は少し手を休めなければならない。

湖は丸いのだから、行程の前半は岸がだんだん遠ざかり、後半は逆に近づいてくればわれわれは真っすぐ進んでいくことになる。

それで岸を横目に見ながら調節しようとするのだが、いっこうにうまくいかない。不思議なことに見ていると何となくひきつけられ、どんどん岸に寄っていってしまうのだ。

とにかくわれわれは岸に寄っていっては、これはいかんと沖へ向かって漕ぎ、また岸辺に寄っていっては方向転換して沖へ漕ぐというジグザグ航法を繰り返すはめになった。その間、ソナーは小さなモーターの快い振動音をたてながら、しっかり仕事を続けていた。スクリーンを見ている私と森山は、予想されていたこととはいえ、湖底の浅いことにややショックを受けた。

　この日は最も岸から離れたところで三〇mくらいだったが、最大深度はたった一・二mである。岸辺で一m近い深さがあることを思うと、あまりに差が小さい。もちろん、湖の中央部へ行くに従い、もっと深くはなるのだろうが、「それにしても」という気持ちだ。湖底の泥は一説によると五、六m も堆積しているという。そこに怪獣が穴を掘って棲《す》んでいるのではないかといわれるが、それは別にしても、泥を掘っくり返して少しでも湖を深くしてやりたくなった。この浅さには幻滅する。

　われわれは二時、ようやくサブキャンプに到着した。仮キャンプから南へボートで二十分ばかりのところ、ヤシの木が生え、堅い地面が何ともうらやましい理想的なキャンプ地である。

　夕方、やはりソナーを動かしながら帰るが、行きと同様、何かわからない黒い影がバンバン映る。なかには結構大きな影もある。ボートの真下一mくらいの水中にそう魚がいるわけもあるまい。枯木だろうか。それとも、カメやワニがわさわさいるのだろうか……。

　夜、田村が発病した。彼は二日前から「身体がだるい」と訴えていたが、熱はないので栄養剤を飲ませ静かにさせていた。それが、三七・二℃の微熱、夕方に突然三九・〇℃に跳ね上がった。疲労が出てきたのだろうか。もっとも、その割には元気で、足どりもしっかりしている。薬を飲ませようとすると、嫌がっていろいろ文句をつけるので、「注文の多い病人」と名付けられ、笑いを呼んでいた。

ところが午後八時、熱は三九・八℃、みんなの顔が真剣になる。もう笑っている場合ではない。普通の風邪《かぜ》でも三九℃前後にはよくなるが、四〇℃近くになるとちょっと普通の病気とは思えない。

急いでドクターを呼ぶ。彼は動物学者だが「医学の心得もある」と称していたからだ。私らは、また彼一流のはったりではないかと、当てにはしていなかったが、こうなるとわれわれの手には負えない。ここは彼に任すことにした。

彼は田村をテントから外に出し、ライトをあてひとしきり喉《のど》や目を見るなど、それっぽいことをしていたが、いきなり、「服を全部脱いで裸になれ」と命じた。もうかなり涼しい時刻だ。裸になるのは寒いだろうし、だいたい意図がよくわからない。

それでもドクターがせかすので、田村は仕方なく服を脱いでパンツ一丁になった。

ドクターは彼を湿った地面に座らせ、「ちょっと待て」と言う。その格好で五分くらい待たされた。

彼は背中を丸め「寒い、寒い」と震えている。私はイライラしてきた。ドクターに「いい加減にしてくれ」と言おうとしたとき、ドゥーブルとイサックが二人でもうもうと湯気の湧《わ》き立つバケツを田村の前に置いた。熱湯の中に葉のついた小枝が何本か放り込まれている。ドクターは満足気にうなずき、田村に長さ五〇㎝くらいの棒を手渡した。

「タムラ、これでバケツの湯をかき混ぜるんだ」

田村はポカーンとしている。私は自分の聞き違いかとも思ったが、聞き直しても同じことを言う。私は真剣に食ってかかった。

「冗談はよして下さい！ 彼は熱が四〇℃近くもあるのに何てことさせるんですか！」

彼は私の抗議を取り合おうとしない。

「黙ってろ、コンゴにはコンゴのやり方があるんだ」

他のコンゴ人たちも当然だ、という顔でうなずいた。そのとき、ジャン＝クロードがテントのシートを田村の頭からすっぽりとかぶせた。

「いいから言う通りにしろ」

彼はしぶしぶ、棒でバケツをかき混ぜ出したらしい。シートがもそもそ動き、バケツがガラガラ音をたてる。

日本人メンバーもみな集まってきた。十数人の人間が取り囲み、息を飲んで見つめるなか、身体を起こすのもつらいという高熱の病人が地面に座りこんでひたすらバケツの湯をかきまわす。異様な光景である。しばらくして、田村が「暑い、暑い」と言い始めた。

「暑いからいいんだ」

とドクターは答える。

五分、十分、と時間が過ぎる。田村の声が弱々しくなってきた。意識がもうろうとしているようだ。

「まだ……ですか……もう、頭がボーッと、してきて……」

私は気が気でない。こんな妙なショック療法で重体にでもなったらどうするのだ。

田村が〝仕事〟から解放されたのは二十分近くもしてからである。シートの下から、全身びっしょりの田村が現れた。目が虚《うつ》ろである。

「もう、疲れて疲れて……」

と彼はあえいだ。

ただ、熱は下がった。異常なくらい汗をかいたから当然といえば当然で、結局は単なる「熱さまし」であった。

また、湯の中の枝は薬草の効果があるという。田村は、ここのところ昼も夜も眠れないと言っていたが、今夜ばかりは極端な疲労のため着替え終わった直後、崩れるように寝入ってしまった。

コンゴ式わけのわからん熱さまし、恐るべし。

生暖かい風が吹き、雨の徴候大なので、雨とその後のムベンベ出現に備え、臨戦態勢のまま田村の横で寝た。（四月六日）

「物体が光ってる！」

夢うつつに人の話し声が聞える。夜勤の金子と戸部らしい。何か早口でごちゃごちゃ言っている。私は見張台のすぐ横で転がって寝ていたのだ。

「カメラをセットしよう」という声ではね起きた。いったい何だろう。真っ暗な中にランプがぼんやりとした光を灯《とも》している。

月が出ているのでファインダーの中は明るい。

「湖に何か黒い点みたいなものが見えるんだ」

と、スターライトスコープをのぞきながら、金子が押し殺した声で言った。私がファインダーをのぞくと確かに黒く丸いものが小さく、しかしくっきりと水面に浮かんでいる。急いでカメラを取り付け、何枚か写真を撮る。向井も起き出してきた。ビデオでも撮影する。物体は動かないが、ゆれているようにも見える。

「向こう岸にかなり近いぞ」

と金子。

「あっ、今すぐそばを鳥が飛び立った。あの鳥は結構大きいやつだけど物体はもっと大きいな。三ｍくらいありそうだ」

興奮した戸部の声でその場の緊張が高まる。時計を見ると四時三十五分。二人の夜勤が物体に気づいたのは四時十八分というから、すでに十七分経過している。

日本人メンバーは田村以外、いつの間にか全員見張台のところに集まっている。順番にスコープをのぞきこむが、みんな物体を自分の目で確認すると夢中になってしまい、ファインダーにしがみついてなかなか次の人に替わろうとしない。

「ちょっとおれにも見せろよ」

「もうちょっと待ってよ」

われわれはなぜかひそひそと言葉を交していた。物体は向こう岸近くにあるはずで、ここから二、三㎞はあろう。だから、普通にしゃべっても怪獣をおどかす気遣いは全くないのだが。おそらく、ファインダーの中にある（またはいる）物体が実に身近に感じられるせいだろう。

夜中だったということもある。習慣的に何となく神聖な時間という気がするのである。とにかく、真っ昼間だったら驚愕《きようがく》のあまり引っくりかえってしまいそうなこと（例えば水面から突然ブロントサウルスが首をもたげるようなこと）も、今ならごく自然に受け入れられそうであった。

私は地図を開いた。コンパスで計ると、物体は湖の南西部にあるNo８ウメという入り江から遠くないところに存在するようである。

ドゥーブルとイサックを呼び、物体を見せる。彼らは首を振った。

「ナエビ・テ《わからん》」

ここでドクター登場、スコープをのぞく。

「あれはそんなに遠くない、ボートを出そう」

そこで、私と戸部、ドクターは、カメラ、双眼鏡、トランシーバーを携え、ボートに乗りこんだ。ドクターは自動小銃を胸にしっかり抱きかかえている。

月が出ているとはいえ、暗い夜だった。湖面は黒く、肉眼では何もわからない。ときどき、「グェッ、グェッ」とワニの鳴く声がするが、それ以外はシーンと静まりかえっている。トランシーバーでキャンプの指示に従って方向を定め、後は黙ってボートを漕ぐ。漆《しっ》黒《こく》の闇《やみ》の中でわれわれを待ち受けているのは、いったい何なのか。期待と不安が入り交ったというまさにそんな気持ちだった。

しかし、結末は意外に早く訪れた。沖へ四、五〇〇ｍくらい来たところで、小さな浮遊物を見つけた。ライトで照らし、ベースキャンプにトランシーバーで尋ねると、興奮した声が返ってきた。

「物体が光ってる！」

あっけにとられて近寄ってみれば、五〇㎝くらいのマニオック包装用の葉っぱではないか。これが〝怪獣〟の正体か……。茶番であった。

せっかくなのでその葉っぱは持ち帰り、第一発見者の金子とともに記念撮影。ムベンベ騒動は終わった。メンバーはあまりの結末にただただ笑いながらため息をつくばかりだった。

私も複雑な心境だった。湖の怪獣目撃ほど不確かなものはない、と肌で感じたからである。波のない水面だから何かあれば、想像以上によくみえる。しかし、距離を計るのは難しい。肉眼ではもちろん、望遠レンズ、双眼鏡の類《たぐ》いでも景色が押し縮まって見えるので、ますます遠近感がわからなくなる。要するに、五〇〇m先の葉っぱが二㎞先の怪獣と区別がつかないのだ。

いまさらのように、この調査の困難さを実感した。

今朝、またスコールに襲われた。怪獣は現れない。キャンプの疲労が深まっただけだ。

「ムベンベを伴わない雨なんて、コーヒーを入れないクリープのようなものだ」と船越がつまらないギャグをつぶやくが、誰にも相手にされない。みな、比較的乾いたところでボーッと湖を見つめていたり、水害の後片づけをしている。雨の後は、だいたいこんな風だ。心なしか、水辺が近くなり、地面の岸に近いところは歩くとぐらぐらする。やはり人の重みで少しずつキャンプが沈んでいくようだ。

虫も日に日に増えていく。ハエはそこら中に卵を生み、それが見事に孵化《ふか》、白くピチピ

チした〝うじ〟がキャンプの至るところで健やかに育っている。ここで村上の一句、

「うじがわく　祭りだ祭りだ　うじ虫祭り」

今日あたりが疲労の臨界点なのであろうか。サブキャンプでは、マラリアで発熱中のヴィクトールに加え、デデも体調が悪く寝込んでいるらしい。午前中、ずっと水に浸って倒木をどける重労働を一人でやっていた元気者の戸部も、午後に頭痛と悪寒を訴え、やがて熱が三八・五℃に急上昇する。

一方、田村も熱が三九℃をしっかりキープし、抗生物質も全く効かない。マラリアの可能性大である。見張りは手のあいている人間が代わっているからいいのだが、心配でしかたない。こんなところで重体になっても輸送の手段が全くない。たとえ輸送しても治療できるところがない。つまり、ここで治るか治らないかしかないわけだ。手持ちのカードは、効くか効かぬかわからぬマラリアの治療薬と抗生物質だけである。

何となく憂うつな気分でいると、突然、異常事態がボッ発した。驚いたことに、村長《プレジデント》を含め村人一一人がこの湖に押しかけてきたらしい。ドクター、ドゥーブルらが仮キャンプへ向かった。何だかさっぱりわからないが、良くないことであるのは間違いない。

夜七時ごろ、ドクターらがキャンプに帰ってきた。日頃〝大きなだだっ子〟の異名をとるこの人が、「失意のどん底」にある、といった感じでおかしかったが、あまりにぐったりしているので笑うに笑えない。彼はかすれた声で話し始めた。

「タカノ、残念なニュースだ。村長たち一一人は、現在のガイドを三人交替させ、別のガイド六人を押しつけようとしている。まずいことにこれは酋長の決定らしい。それだけじゃない。酋長の真の命令は、われわれを全員引き上げさせることにあるんだ。〝湖の責任者〟といわれる長老が死んだらしい。また、死産が一つあった。それを、われわれが湖を荒らしまわっているせいだ、と主張している連中がいるんだ。

彼らはボミタバ語でひそひそしゃべっていたが、イサックがそう教えてくれたよ。

タカノ、もう私は完全にやる気を失った。個人的にはもう一刻も早く帰りたい。そして、二度とここには来ないだろう。

それから、タカノ、わかるだろう、私はもう三十三歳だ。それなりの分別もあり、経験もある。しかし、こんな事態は初めてだ。

今、私は彼らが何をしでかすかと思うと、ちょっと怖い。はっきり言って危険だ。ここはジャングルのド真ん中で、われわれは完全に無力なんだ。……私はもういやだ。でも、君たちは遠い日本から大金をかけて来ている。私とは立場がちがう。君たちの結論を出して欲しい」

こんな話を聞いて、われわれも暗くなるが、かといって、今のところは何ともしようがない。ドクターの言うことはもっともであるが、当然われわれはここで屈するつもりはない。ただ、彼が妙に村人たちを恐れているのが、ひっかかった。それで、

「そんな暴力を振るう人たちとは思えないけど……」

と私が言いかけると、途中でさえぎって、ムキになってまくしたてる。

「おまえは知らないのだ、やつらの凶暴さを。ボアの連中は他の村の人々とはちがう。昔から、他の村はリクアラ川沿いの開けたところに住み穏やかな生活をしていたんだが、ボアの連中はこんな森の奥深くで狩猟ばっかりしていたんだ。気性が並はずれて激しい。おまえは知らないのか。ボアのやつらは、みんな身体のどこかに刃傷があるんだぞ。ナイフでのケンカなんてしょっちゅうだ。ガイドをクビになったマーフを覚えてるだろう。あいつはポーターのエベタスの首と腰を刺し、殺人未遂でインプフォンドの警察に逮捕され、このまえ牢《ろう》から出てきたばかりなんだ。マーフの家はエベタスの家に大金を払って和解したんだ。

そういう村なんだ、ボアは。エペナの役人も、インプフォンドの行商人もボアにだけは立ち寄らない。彼らは文明化されていない。伝統の中で生きてるだけなんだ」

なるほど。彼の言葉にはいかにもコンゴの都会人らしい嫌味が感じられるし、誇張癖のある彼の話をうのみにするわけにはいかないが、ある程度は真実なのだろう。実際、私も肩や胸に巨大な傷跡があるポーターを何人も見ている。とすれば、物騒な話だ。

しかし、彼らの本当の狙《ねら》いはいったい何なのか。伝統か金か。村上、森山、向井などは怒っているが、私にはいまひとつピンと来ない。

私は、彼らがわれわれの怪獣調査を嫌がっているとすれば、それは、単に金だけではなく伝統の問題だと思っている。いや「思おう」としているのかもしれない。何しろ、酋長をはじめ村人たちが宗教上の理由から、湖の探査を阻んだとなれば、阻まれがいもあるというものだ。

いつまでもうだうだ言っていてもしかたない。夕食後、〝異常事態発生記念〟と称して、温存していたココアを放出する。ココアとか砂糖は最高の貴重品なので、こうして何かの〝記念日〟にやっと少し配給されるのだ。熱く甘いココア――ジャングルにおいて、これほど人の心を落ち着かせるものはないのである。（四月八日）

二時間半の〝激闘〟

八時頃からまた二時間ほど雨が降る。これでは全く雨季と変わらない。コンゴ人メンバーも「異常気象だ」と言って顔をしかめる。赤道直下の熱帯雨林にも異常気象があるのだなあ、と感心した。〝異常気象〟という言葉が妙に懐しい。実に日本人好みの言葉だ。

しかし、雨の中をつっ立っていたらずぶ濡れになったのには参った。普通の登山用のレインコートは、通気性を保ちむれを防ぐため完全な防水になっていないので、コンゴの激しいスコールには一時間ともたない。ここではじっとしているだけでむれる心配はないから、安いビニール製のポンチョのほうがよっぽどいい。

われわれの持っている道具は、ほとんどが登山用、それも冬山を想定したものが多いので、この場にふさわしくないものが少なくないのである。

それにしても濡れるとムチャクチャ寒い。これから、どうしたものだろうか。もっとも、私が病気になる前にわれわれが湖から追い出されるか、このキャンプが水没するかしなければの話だが……。

雨が上がり一息ついたので飯にする。本日は、〝異常気象発生記念〟と称してノリをしょう油で食ってしまう。最近ではもう「もったいない」という感覚もなく、モノがなくなっていく身軽なスイスイという壮快感と端的な「おいしさ」を楽しんでいる。いや、モノなんて本当に邪魔なだけだ。食べて使ってあげて捨ててしまおう。身体一つあれば充分なのだ。

午後、前日の異常事態収拾のため、仮キャンプへ向かう。ドクター、ドゥーブルとともにカヌーへ乗りこんだ。

「変なところで妥協するなよ」

と金子が声をかけてきたので、少しムッときて、どなり返した。

「妥協なんかするわけないだろう！」

この自らのひと言で方針は決まった。

船上でもドクターの態度はやたら強硬だが、彼の本意はどこにあるかわからない。結局、彼はあてにせず、自分一人で頑張るつもりだった。

　現地へ着くと、村長以下ボア村の人々は大喜びという様子で私たちを迎えた。文句をつけに来ても、表向きのこういう気配りは忘れない。私は彼らのこんなところが好きだ。まあ、彼ら一流の社交術というか、バランス感覚なのであるが。

　着いてすぐにドクターVS.村人の闘いが始まった。私は黙って傍観していた。早口のフランス語とリンガラ語なので初めは全部が聞きとれなかったが、同じ話を何度も繰り返しているので、ときにはわかることもある。わかるとなかなか面白いのだ、これが。村長はいちおう政府の人間であるという意識はあるのだが、他の人間、特に酋長に近い連中は、まるっきり〝村の論理〟で押しまくるのである。

「われわれは政府の代表で来ているんだぞ」

「政府が何だ、国が何だ。この湖は先祖伝来ボアの土地だ」

「コンゴは社会主義共和国だ。国土はみな国家のものだ」

「国家って何だ？　国家がいったいおれたちに何をしてくれたんだ？　税金を取りに来たり、資格《ライセンス》がないと狩りをしてはいけないとか、迷惑なだけじゃないか」

「おまえたち、よく聞け、国があるからこそ、衣服も買えるし、マチェット（ブッシュナイフ）も買えるんじゃないか」

「おれたちは国から服やマチェットを買っているんじゃない。商人から買っているんだ」

「じゃ、おまえたちがランプに使っているペトロール(灯油)はどこから来ていると思うんだ。国が採掘しているんだぞ」

「そんなことなら、もうランプは使わないよ。ちょっと前までランプがなくたってちゃんとやっていたんだから」

コンゴ有数のエリートであるドクターは、未開な村人に反撃をくらって、ほとんど怒り爆発寸前である。しまいに、

「そんなことはブラザヴィルでは通用しない」

と、口ぐせのようになっているセリフを吐いて押し黙ってしまった。

雨の後の冷たい風が樹々の葉を揺らし、われわれに水滴をしたたらせた。遠くでサルの声らしき叫びが聞えた。何人かは耳をそばだたせ、今にも飛んで行きたいという表情を見せたが、さすがに我慢しているようである。

ブラザヴィルでは通用しない、か。ばかげた言い草だ。アフリカの小国の首都であるというだけの小さな街で通用するとかしないとかがどれほどの意味があるというのか。もっとも、それが東京だって変わりはしない。

ここはジャングルの中にある湖なのだから……。私は思わず〝村の論理〟に感心してしまった。〝国家〟というシステムが非常に奇抜なアイデアだという気がした。

しかし、いつまでも感心しているわけにはいかない。こんな話をしても、問題解決には一歩も近づいていないのだ。今度は私が交渉にあたることにしたが、驚いたことにドクターは、私と村長との通訳を拒否した。「直接話をしたほうがいい」と言うのだ。村長はリンガラ語しか話せないので、しかたなくリンガラ語で応戦する。最近、私のリンガラ語能力は飛躍的に伸びていたが、さすがに本番の交渉ではなかなかつらいものがある。

他のうるさい連中がフランス語でガンガン口をはさんでくるが、なまりが激しくリンガラ語と同じくらいしかわからない。そこで、「ナヨキ《よく》・マラム《わからん》・テ」や「ポナ《なんで》・ニ？」を連発した。

ほとんど全員が、私の無理解にあきれたらしく、激しい口調でつっかかってくる。当然、十五分、三十分、一時間と時がたつにつれて私にも情況がわかってきた。彼らは、われわれに親切な現在のガイド三人を、新しい六人のガイドに交替させようとしているのだ。この新しいガイドはきっと次から次へと問題を起こし、最後にはわれわれをここから撤退させようとするだろう。村の真意はそこにあるのにちがいない。

しかし、「ここは言葉がわからないふりをしたほうがいいだろう」と思い、「わからん」「どうして？」「ガイドはドゥーブルたち三人がいればいい」「そんなことはしなくていい」……など何種類かのセリフを阿呆《あほ》のように繰り返した。

結局、これが勝因となった。ドクターと彼らが話すと、コミュニケートが完全なためにかえって話が発展し、あげくの果てには「政府のやり方がどうの」とか「白人《ムンデレ》はいつもこうだ」というような一見もっともらしいが実は全然関係のない話題にずれにずれてしまうのだ。

それが、私は、基本的なことを「何で？」と繰り返すので、もともと理がない彼らにしてみると困ってしまうらしい。〝言葉の壁〟を逆手にとった勝利ともいえる。

とにかく最終的に、「ガイドの給料は一五〇〇ＣＦＡ（約七五〇円）に値上げ、ガイドは現状のまま、酋長には私が事情を説明した手紙を書く」ということで決着した。

もう、あたりは真っ暗。二時間半の激闘、というより珍闘は終わった。

月明かりを頼りにカヌーで帰る。波がかなり高い。私は船が沈没しそうなので、せっせと水をかい出しながら、さきほどまでの出来事を反芻《はんすう》してみた。何が正しいのかよくわからなかったが、終わりがよかったのでそれでいいのだろうと思った。

ベースキャンプに戻り、〝事件解決記念〟で紅茶に砂糖を放出する。カワウソもうまい。

あと残り三十日、病人を大量にかかえ、コンゴ・ドラゴン調査隊はどこへ行く。（四月八日Ⅱ）

第四章

食糧危機

投網をするドゥーブル

サル肉は定番のおかず

〝船越ギャグ〟は国境を越えた

今日はローテーションの入れ替え日である。ボートは移動に使われてソナー探査ができず、何となく気分がだれている。それでも、水没したきりの装備テントと四人用テントがあまりにも悲惨なので、一回全部荷物を出し、下に木を組んで草をかぶせ底上げをした。

こんな作業で午前中がつぶれてしまう。

それから、発電機を回しビデオ用のバッテリーを充電し始めたが、夜勤の人間が「うるさくて眠れない」というので中止した。

夜勤を設置したのは、隊に予想した以上の負担をかけている。夜勤係は一晩中恐ろしいくらいの静寂と退屈に耐え、日中は眠れなくて悩んでいる。

夜勤直後は「もう人と喋《しゃべ》れることが嬉《うれ》しくて嬉しくて、つい話の輪に加わりたくなる」(金子)そうだし、日中は「起きている分には気にならないけど、寝ようとするとやっぱり暑い」(戸部)らしく、また、午後は虫の攻撃が激しく、夕方涼しくなり虫も消え、ようやく眠れそうになると、人の話し声が耳についてしょうがないという。

そのせいか戸部は病気になり、金子も病気でこそないものの、睡眠不足からくる疲労で夜起きていられなくなり、五日目以降は代わりの人間が交替で夜勤を務めている。

係の人間もたいへんだが、今日のようにバッテリーの充電ができないとか、飯の時間が合わないといった隊全体のペースが狂ってしまうのも悩みの種である。

戸部は昨日三九・二℃まで熱が上がったが、幸運にも〝コンゴ式わけのわからん熱さまし〞をやらされることなく、抗生物質で鎮静した。まだ頭痛が残っているらしいが快方に向かっている。

田村は、昨日の昼間平熱に戻り調子に乗って「完全復活宣言」をしたものの、夕方急速に悪化、一時間もしないうちに再び三九℃を突破した。七時に数回吐く。三日に一度熱が下がること、背筋痛を訴えていることから、おそらく三日熱マラリアであろう。マラリアの中ではまだマシなマラリアだが、何せここには医者も治療施設もないし、もっと悪性のマラリアでないとも断言できない。

ニバキン（マラリアの治療薬）を三錠飲ます。

高林さん、野々山さん、金子の高齢者トップ3《スリー》がサブキャンプに発ち、高橋、船越が帰ってきたので、ベースキャンプのノリは急に軽くなる。

コンゴ人たちはさっそく船越をからかって楽しんでいる。彼は日本でもその一般常識を越えた行動で変わり者（＝人気者）扱いをされているが、コンゴの奥地に来ても事情は変わらない。

「変人フナコシ」の名を一気に高めたのは、ガイドやポーターとのタバコをめぐるやりとりである。

まずポーターが湖に着いたとき、私がお礼の意味で配ったタバコを船越が何を勘違いしてか取り上げてひんしゅくを買った。船越がタバコを吸っていると、ポーターの数人が「少しタバコをくれないか」とやってきたが、それを惜しんだ彼は「タバコって何だ？おれはそんなもの知らない」とシラを切り通した。知るも知らないも、今吸っているものだ。ずうずうしさでは定評のある村人もこれにはあきれ返った。

さらに、この前もドゥーブルにタバコを要求され、初めは言葉を濁していたが、しつこくねだられて、何を思ったのか灯油タンクをドゥーブルの目の前に差し出し「これをあげる」。それを大真面目《おおまじめ》な顔でやるので、ガイドたちもさすがに大笑いをしていた。

彼がそれをジョークとしてやっているわけではなく困った末しかたなくやっているというのがミソである。

このあたりで〝フナコシ〟人気は完全に定着してきた。以来、コンゴ人たちは、タバコが欲しくなると「フナコシー！」と呼びかけ「灯油《ペトロール》をくれ」と言うようになった。

それで彼が困るのを見て喜び、今度はどういう奇抜なことをするのかと期待しているのである。これはドクターら政府の役人にもウケまくっている。

船越本人は有難くないかもしれないが、この一連の〝船越ギャグ〟はとかく険悪になりがちな日本人―コンゴ人における人間関係を和らげている。ことに、ボアの人間にとって、今まで来訪してきた白人《ムンデレ》は全て多かれ少なかれ「命令する人」であったはずだ。からかって遊べる白人がいるとは思わなかったにちがいない。親近感の度合いがちがう。それは船越だけでなく、われわれ全員にいえることだが。

それにしても、価値観がこれだけ違うのに東京の〝変わり者〟がジャングルでも〝変わり者〟になってしまうのには驚いた。船越は国境も文化の壁も越えている。

西からやってきたウスバカゲロウのような虫の大群が、東方の空に消え、陽が落ちる。サルの肉は、今朝のライ魚の燻製《くんせい》には負けるというものの、結構いけた。

心配していた食事は、日に日にほとんど加速的にともいえるスピードでうまくなっていく。ただ、それと比例して、一日の空腹時間も増えていくような気がする。（四月九日）

テレ湖一周狩猟行

ドゥーブルの用意はできている。私はカメラ、トランシーバー、赤と黄のビニールテープを携えカヌーに乗り込んだ。彼は後ろに座り、そのままの姿勢で長い櫂《かい》を巧みに操り、船首を翻した。出航だ。六時五分、もうすっかり明るい。

これから湖を一周するのだ。先日ソナー探査をしてみて目印のなさに困ったので、せめて全部で十一あるという入り江に遠くから見える印をつけようということになった。そうすれば、ベースキャンプの監視で何か発見したときにも、すぐに位置確認ができる。

そこでドゥーブルに頼んで湖を一周してもらうことにした。

これは今回の遠征で初めての試みだ。まだ、われわれはベースキャンプからサブキャンプまでのごく限られた空間しか知らないのだ。湖の西岸、南岸は完全に未知の地域である。

私は内心嬉しくて仕方ないが、自分だけが面白いことをやるというのも毎日見張りに明け暮れている仲間に対してすまないという気がしたので、「じゃあ仕事に行ってくるから」と義務感を漂わせキャンプを出てきたのであった。

さわやかな朝である。森も比較的静かである。しばらく単調な旅が続く。ときどきサルが岸辺の高い木を跳び移っているのを見るが、ドゥーブルは反応しない。その気になればサルなどいつでも獲れるからだろう。

一時間後、入り江No4のボンパレに到着。テレ湖には十一本の川が注ぎ込んでいるが、これらの川は他のどんな湖や大きな川ともつながっていないという。遡行《そこう》すると森の中に消えていくといわれている。

さっき「川」と言ったがそれも正しくない。湖の水量が多いとジャングルの方へ水が流れ、湖の水量が少なくなると逆にジャングルから水が流れこんでくるという。テレ湖が〝ジャングルの中の大きな水たまり〟と形容される由縁である。

それで水流が湖と通じている部分を、われわれは便宜上〝入り江〟と呼んでいる。この入り江にはボミタバ語でそれぞれ名がつけられている。ナンバーはわれわれが分類上、東岸から反時計回りに打っていったもので、深い意味はないが、湖の地理を把握するには便利である。例えば、「ベースキャンプはNo3のモサワとNo4のボンパレの間に位置する」ということができる。

流れこむ川そのものは小さいが入り江はかなり広い。幅五〇〜六〇mはあろうか。現在、水流は思ったより速くジャングルへ向かって流れている。入り江の左に赤いテープを五〇mほど張る。

ここから南岸まで入り江がたくさん集まっている。十分も漕《こ》がないうちにNo5モクザに到着。カヌーは流れに沿って音もなくスーッと入っていく。なかに三〇mほど行ったところでドゥーブルは船を止めた。

ここに長い網が仕掛けられている。リンガラ語で〝ムングス〟というライ魚のような魚が一匹、タイを小さくしたような形の〝リブンドゥ〟が四匹、えらやひれが網にからまって暴れていた。いずれも毎日われわれの食卓を飾るレギュラーメンバーである。

これだけの湖なのだから、もっといろいろな種類の魚がいてもよさそうだが、実際獲物の九割以上はこの二種の魚である。自ら網に突っ込んでいって動けなくなってしまうバカな魚が二種類しかいないのだろうか、などとくだらないことを考えつつ次の入り江へ向かう。目印の黄色いテープは巨大な倒木に巻きつけておいた。

七時三十五分、No6ディンギレ。ここの入り江は差し渡し一〇〇mはあり、他の入り江に較べかなり大きい。また、この付近は湖の西端にあたり、ムベンベ三大出現地の一つである。心してなかに進んでいく。

ディンギレの奥にはハッとするような美しさがあった。両岸は水の中にまで勢いよく濃い青色の樹木が繁茂し、葦《あし》が風に吹かれて揺れている。そしてまわり一面にスイレンの花がひっそりと咲き並び、朝の柔らかな陽光を反射して淡く輝いていた。私は何となくこの調和を乱してはいけないような気がして、意味もなくひそひそ声でドゥーブルに尋ねた。

「ここでムベンベがよく目撃されるんじゃないの？」

すると、

「そうだ、ここは魚がすごくたくさん捕れるんだ」

というわけのわからない答えが返ってきた。何か意味深長なものを感じたが、単に私の質問が全くわかっていなかっただけかもしれない。

ともかく、彼の言った通り、今日も大漁であった。モクザに仕掛けたのと同様の網にムングスが五匹もかかっている。総員一七人が二回ずつ食べられるくらいのおかずになるだろう。

普通だとここでガイドは帰路につくのだが今日はさらに先へ進む。ディンギレとNo7ンボノ、No8ウメはほとんど隣り合わせである。赤と黄の目印を交互につけながら、この付近のジャングルには比較的高い木が少なく、どちらかというと疎林であることに気づいた。金太郎飴だと思っていた湖に若干の変化を見出《みいだ》し、少し嬉しくなる。

ちょうど午前九時、ヤシの生えた小島の横を通り過ぎようとしたとき、カサッという物音がした。ドゥーブルは船を回して小島のヤブにそおっと近付く。

彼は銃を構えた。パン！ という炸裂音《さくれつおん》。ガサガサと何者かが茂みを走り、ドッボーンと大きな水音。私たちは急いで島の反対側に回る。ドゥーブルはとっさに槍をひっつかみ水中の動物に突き刺した。

私は初めワニかと思ったが、引き上げられた獲物はカワウソだった。意外に大きい。柴《しば》犬《いぬ》くらいはあろうか。長いヒゲとまるで赤ん坊の手そっくりの前足に愛嬌《あいきょう》がある。かわいそうだが、今夜のおかずになっていただく。

No9ボコンザマ、No10エパラ通過。相変わらず疎林が続くが、ヤシの木が多いのも目につく。根元にパイナップルの実が生《な》っているのを二回見つける。進路をねじ曲げ夢中で駆けつけるが、二つともまだ青かった。残念。

十時、№11モザブワノの左岸に赤色テープを張り、これで仕事終了。

双眼鏡で見ると正反対の岸にベースキャンプが見える。もう湖の南端に来てしまったのだ。しかし、その景色が、ベースキャンプから南岸を見た景色と全く変わらないのが奇妙である。

ドゥーブルがまた耳をそばだてる。水辺で何か枝を踏みしだくようなバキバキという音がする。

「ほら！　聞け、野ブタだ！」

今度は私が下手《へた》ながら船を漕いで岸に寄っていく。ドゥーブルは銃を構え間合いをはかっている。銃の先がほとんど茂みにつくぐらい接近して撃った。

「ブヒーッ、ブヒーッ」

間近からブタの絶叫、続いて森を走っていく音を聞く。ドゥーブルは猛然とカヌーを降り森に突っ込む。私も後に続く。あれっ、と思った。何にもいない。

「ブタは二匹いたんだ。でも、逃げた！」

「逃げたって？」

「これから探すんだ」

ここはひどい湿地帯だ。細い木やツタががんじがらめにからまり、まともに五歩進むこともままならない。地面はどろどろぐしゃぐしゃである。それでも彼は地面をたんねんに調べ、やがて意を決して進み出した。

泥、草、枯木、枯葉が何重にも堆積《たいせき》したその肥溜《こえだめ》のような地面の四、五mおきにわずか一滴の血が垂れている。それをどんどん追っているのである。

十五分くらい悪戦苦闘を続けて、ようやく野ブタを発見した。横倒しになっていたが、まだ足をばたつかせ最後の抵抗をしていた。ドゥーブルは、すぐさま別の一頭を追いに戻り、私はここに留まることになった。

ドゥーブルの足音が遠ざかり、ジャングルはまた静けさを取り戻した。私とブタだけが残された。ブタはまだ暴れていたが、動きは明らかに鈍く鼻息は弱々しくなっていく。茶色の毛並がきれいで、目は黒い。そこに生き物を感じた。残虐な死体や血や内臓が飛び散る解体現場なら、もう何とも思わないが、やはり生あるものが死んでいく場面にただ一人立ち会うのは苦痛だった。

自分が喰らうべき獣に哀れを感じるのは、われわれが自然から離れすぎてしまったからだとわかっているのだが、わかっているだけである。

三十分くらいして、ドゥーブルの声が聞えた。私が大声で場所を教えるとすぐにやってきた。二匹目は見失ったらしい。

私たちは早速このブタを運び出しにかかった。ドゥーブルが下顎《したあご》を、私は両手で前足をつかんで息を合わせて引っ張った。ただでさえ重いのに、木やヤブに邪魔されてほんの少しずつしか進まない。おまけに私は泥沼の深い所に股《また》まではまってしまったりする。足を引き抜くとき靴が片方脱げてしまい、今度は泥の中に腕をつっこんで探しまわる。「そんな面倒なものを履いているからだ」とドゥーブルは言いたげだ。彼は裸足《はだし》である。

さて、作業再開だが、ちょっと困ったことがあった。日本人が力を入れて「ヨイショ」というとき、コンゴ人はなぜか「マッ、マッ」という気合いを発するのだが、どうも間が抜けていて、それを聞くとおかしくて力が抜けてしまうのだ。ドゥーブルほど渋い男が「マッ」とやるとなおさらである。しかたないので、私も彼にならいこの気合いを採用させてもらうことにした。

「せーの、マッ」

思ったより力が入りやすく、相手との息も合いやすい。それに自分で言うと笑わなくて済む。しばらくは、静かな森の中に「マッ……マッ……」と規則的な二人の声が響いた。

彼は漕ぎながらも常に五感を働かせている。十二時十五分、ゴリラの声が聞えたという。私には聞えず。十二時二十五分、ニシキヘビがいたがすぐ逃げてしまったという。私には見えず。〝目が見えない、耳が聞えない、話せない（狩りができない）〟の三重苦である。悲しくなった。

しかし、次に大きなヘビが岸辺にいるのに出会ったときは私もすぐ気づいた。ニシキヘビだ。ドゥーブルも私が今までに見たうちでは最も緊張している。リンガラ語で指示が矢継ぎ早にとぶ。

「モリを取ってくれ」

「カヌーを前進させるんだ」

よく聞きとれないからと迷っている暇もない。わからなければ勘で動くしかない。でないとヘビを捕えられない。私はそろそろと船を岸に近づけた。ドゥーブルはモリを高々とかざしている。ヘビはわれわれに気づいたのか気づかないのか、逃げようとしない。ヘビから約三mの間合いに来たときに、彼はモリを投げた。「ズブッ」と鈍い音をたて、モリは見事にヘビの太い胴体に突き刺さったが、ヘビもさる者、モリを背負ったまま水中に潜って逃げる。モリの穂先がはずれたら万事休すだ。私は櫂を操りヘビを追った。

ドゥーブルがモリに追いつき、二度三度と水中深く突き刺す。これでヘビは逃げられなくなった。

しかし、この後がたいへんだった。水中のことでよくわからないが、ヘビはどうも水の中で串刺《くしざ》しにされたままモリの穂先にからまりギュウギュウ絞め上げている模様である。引っ張り上げようとしても重くてどうにも持ち上がらない。

ドゥーブルは森へ入り、枝のついた長い木を切り出してきた。それを水に突っこみ、ヘビのダンゴを崩しにかかる。何とか頭部を水面に出させ、そこをマチェット（ブッシュナイフ）で叩《たた》き切ろうという作戦だ。

ヘビの方はあくまで水中で勝負をしたいところである。しかし、時間が経過するにしたがってさすがの大ヘビも力の衰えが見えてきた。苦しくなり自ら呼吸をしに浮き上がってきたとき、ドゥーブルのマチェット一閃《いっせん》、首筋から血が噴いた。

三十分五秒、われわれ人間のKO勝ちである。

二人がかりで獲物を船上に引き上げる。そいつは首を切られても、まだ私の足元でうねうねとのたくっている。体長四mくらいはあろうか。太さは私の太股《ふともも》ほどもある。一見ぬるぬると、しかし触ってみるとざらざらした鱗《うろこ》に毒々しい模様が映える。これでも「それほど大きくはない」そうである。

一時二十分、出発。われわれのカヌーは、ほとんど七福神の宝船と化していた。船の前部にはカワウソが人が寝ているように体を横たえ、野ブタは四つの足をツンと空に突き出し、ニシキヘビなど船外にはみ出してしまい、船の空いたスペースに魚が散らばっている。

エキサイティングな一日だった。私は目印をつける仕事を終え、湖を一周して怪獣の気配はないにしても感覚をつかみ、そして狩りにも参加できたとは。私は今日狩りの手伝いをしたことで、今までに感じたことのない原始的な喜びを味わった。

この喜びは、ボアの人々が少年時代、父や兄の後ろについて狩りに行ったときに味わうものと同じものだろう。経験を重ねる度に自分の役割がもっと増え、役割が増えればもっと楽しくなる。こうして、私もいつか一人前の狩人になるのだろう——なんてことがあればいいが。

さて、ベースキャンプに帰り、私は調査隊の一員である本来の自分に戻った。さっそく、望遠レンズで目印を確認する。五〇mもの長さに張ったテープも、ここからだとなかなか見つからない。今日の自分の距離感と照らし合わせ、どうにか把握する。

次に簡単な測量を行う。望遠レンズの三脚に三六〇度の目盛りが打ってあるのを利用し、ファインダーをのぞきながら各入り江の真北に対する角度を記録した。これでかなり正確な値が得られるはずだ。

前に言ったように、テレ湖の正式な地図というものはない。唯一フランス地理学院発行の衛星写真によるコンゴ北部の地図に記載されているが、この地図は湖のことを把握するには縮尺が大きすぎる。

湖そのものについては、一九七六年にフランスの調査隊が、外部の人間として初めてテレ湖に到達したとき、おおまかなスケッチをとっている。次にレガスターズ隊が一九八一年に「正確な測量を行い、以前の地図を修整した」ことになっている。

ところが、われわれが測量してみると、レガスターズ地図で正しいのは湖の形状だけで、何とそれ以外はメチャクチャであることがわかった。方角が二〇〜三〇度狂っているという初歩的な誤りを犯しているだけでなく、入り江の位置など完璧《かんぺき》なデタラメである。断言してもいいが、湖の調査を実際に行っていない。おそらく、ガイドに訊《たず》ねた聞き書きであろう。

私も経験があるが、村の人に地図を見せてものを訊ねるのは、ほとんど意味がない。彼らは平面図を頭に描いて行動しているわけではないのだ。日本人だって、自分の住んでいる町の地図を即座に描き表せる人は意外と少ないはずだ。

さらに、村人は自分たちの土地についての質問には、「わからない」と答えない。かわりに思いつきでテキトーなことを教えることがよくある。これは彼らのプライドが高いためでもあるし、また、サービス精神の表れでもある。だから、下手なヒアリングは禁物なのだ。

レガスターズは自分の測量法を「UCLAの○○教授が誤差○m以内と保証した」というが、誰が何と言おうと、私の目で見た事実に即していないのだ。〝科学〟という名のペテンである。私は無性に腹が立った。これでレガスターズの報告全体に対する信憑性《しんぴょうせい》が一つ落ちたと言わなければなるまい。それに比べ、フランス隊のスケッチの方がずっと現実に近い。ただ、入り江の数が一つ少ない。私はそれを図に書き込んだ。

これで利用できるものはもうなくなった。これからは自分の目で確かめ、新しいテレ湖の地図を作っていくしかないのだ。

一方、ボート班の戸部から、本日のソナー調査の結果が報告された。彼はドクターとともにベースキャンプを出発、真南の方向へ進み、湖の中央部から東に左折しサブキャンプに渡ったという。

「深さは平均約一・五m、湖の中央部付近でも二m程度です」

「にめーとる?」

私は絶句した。

「んんん……」

横の村上が正体不明のうなり声を発した。

浅い浅いと言っても程がある。

先日、私と森山の調査でいく分予想されていたとはいえ、やはり明らかな事実として胸先に突きつけられるとショックを隠せない。

もちろん、今日彼がたどったコースは広大な湖のある一つの線にすぎず、他の部分は未知である。ひょっとしたら、そのコースを一mはずれたところから急に深くなっており、そこでムベンベがほくそ笑んでおるかもしれん、と思わないでもないが、湖の底には泥が厚く堆積している。

戸部は中央部でも櫂を突っこんで調べてみたが（その程度のことで調べられること自体

が悲しい！）、やはり下は泥だったという。ということは、少しずつ深くなることはあり得ても、極端に深い部分（といっても三〇～四〇ｍだが）があるとは考えにくい。泥は低い方にすぐ流れてしまうはずだからだ。

ただ、どじょうやはぜが泥の中に巣をつくるように、ムベンベが泥の中に穴を掘ってすっぽりとおさまっているという可能性はある。

また、戸部の報告では、私たちの調査と同様、ソナーのスクリーンに影が盛んに映っていたという。原因は依然不明。

とにかく、テレ湖の調査は始まったばかりなのだ。（四月十日）

機材の不調とゴリラ騒動

朝六時半に目覚める。

最近私は一つの発見をした。テントの外で寝ると素晴らしく気持ちがいいのである。夜少し冷えこむから外に出ている顔とか手とかは涼しく、その分シュラフの中はホカホカと暖かい。熟睡できるためボコボコに突き出た木の根っこなんか気にならない。そうすると朝は六時ちょっと過ぎ、朝日より多少遅れて目覚めたとき、何とも爽《さわ》やかなのである。

おかゆに塩をかけて食べ、熱いお茶をすすった後、木陰で昨日の出来事をまとめているひととき、これもいい。

夜勤の人間は疲れきってその辺に転がっており、ガイドたちはもう狩りに行っている。朝勤の人間は例のごとくボーッと湖面を見つめ、活動班の連中はソナー探査の準備をしている。

今週、私とともに昼勤を行う村上は数学書を広げ、難解な問題の証明に——ガラパン一丁というラフないで立ちで——取り組んでいる。一時間ごとのサブキャンプとのトランシーバー定時通信も、こちらから伝えることは何もない。向こうからも「何も変わったことはありません。今、朝食を食い終わったところです」と金子ののんびりした声が響いてくる。

洗濯物が風にゆらゆら揺れている。私は思う、これは安定期なのか、それとも膠着期《こうちゃくき》なのだろうか。

十時頃、私が最近上達著しいリンガラ語の単語を整理していると、活動班の連中が戻ってきた。ソナーの調子がおかしいらしい。バッテリーがないのかと思い充電しようとしたができない。発電機の安全装置が作動し、止まってしまうのだ。

ソナーと発電機の説明書を首っ引きで調べるが、おかしいところはどこもない。ソナー本体の回路も見たところは正常である。われわれには手の施しようがなくなったので、〝機材の守護神〟向井を叩き起こし登場を願う。

彼はテスターであちこちの電流圧値を計測したり、機材を分解してみるが、やはりよくわからないようだ。原因が見つからず完全に行き詰まってしまった。ただ、どうもバッテリーがおかしいようなので、思い切って六〇Vの発電機を直接ソナーにつなぐという作戦に出た。少し危い気はしたが、もし過電流の場合はヒューズが飛ぶはずである。それにもう他に手段がない。

おそるおそる接続する。ちゃんとソナーが動くではないか。「おーっ！」と感嘆の声をあげてから五、六秒、「ボム！」という小さい爆発音とともに青い煙を吹き、ソナーは止まった。

みな顔を見合わせボー然とした。電子回路が火を噴いたとなると、これは絶望的だ。私は、ここまでの苦労とこれからの調査における大打撃を考え、言葉がない。本当にこれからどうすればいいのだろうか。ようやくポイント地点に目印をつけ終わり、いよいよ湖をくまなく動いて、問題の水深を調べようという段階にきていたのだ。われわれにはもうデータをとれる調査方法がない。

とにかく、ソナーはもうない。それにしても、どうしてヒューズがとばなかったのだろうか。

しかし、ここはおかしい。今日の事件もバッテリーがまずおかしかったからだ。だいたい、電池にしろ、バッテリーにしろ、消費が異常に早い。ビデオのバッテリーは一時間のものが十五分しかもたないし、一度替えると一年間は有効のはずのカメラ用電池が次から次へと切れる。もう、予備は全てなくなった。乾電池もどんどんなくなる。暑さと湿気による自然放電が激しいのだろうか。

そういえば、カメラの調子も良くない。キヤノンから借りた三台のカメラはしょっちゅう動かなくなり、先ほどは戸部のカメラが完全に止まってしまった。原因は不明である。唯一機器を湖に持ちこんだレガスターズ隊も報告書のかなりの部分をさき、次から次へと故障が起こったことをしつこいくらい細かく書いている。よほど腹に据えかねたとみえる。

また、テレ湖の上空を飛ぶと計器が狂って危険だというのは、コンゴのパイロット間の有名な伝説らしい。こんなに連続して機材がおかしくなると、私も本気でテレ湖のミステリアス・パワーを信じてしまう——なんてことはないが、まだ二週間目であることを考えれば憂うつにもなる。

テレ湖周辺は、今ではアフリカでも数少なくなったゴリラが豊富に見られる土地で、しかも本格的な調査は全く行われていない。それだけでも興味が湧《わ》きそうだが、さらに奇妙なことがある。湖の周囲約三㎞は湿地帯がほとんどだ。もちろん乾いた場所もところどころあるが、それでは活動範囲がまるっきり限られてしまう。私は知らなかったのだが、ゴリラという動物は、サルの仲間のくせに、体重が重すぎて樹上生活ができないとのことだ。木に登ることはあっても移動するときは地上を通るし、寝るのも背の低いヤブをベッドとして利用するらしい。

「だから、普通ゴリラは水の多い所を嫌うんですよ。ぐしょぐしょした湿地帯にゴリラがいるなんて聞いたことがない。もし、その話が本当なら実に珍しいことだね」

行きにたまたまキンシャサで会った、京都大学理学部人類進化論研究室の古市《ふるいち》剛史《たけし》さんもそう言っておられた。

そういえば、すっかり忘れていたのだがドクターは森林経済省動物保護局動物管理課のチーフであった。コンゴの野生動物に関しては直接の現場責任者ともいえる。

ボア村を出発してから、彼はポーターやガイドたちと暇さえあればいさかいをしていたが、第一の原因は「ゴリラ問題」だった。ボアの連中はゴリラが大好きだ。もちろん愛しているのではなく、「おいしい」という意味である。

私は村を出た日の晩、近くにいたある男に、なぜそんなに長い槍を持っているのかときくと、「ゴリラを殺すためだ」という答えが即座に返ってきた。男はコンゴ人特有の大げさな身振り手振りで説明してくれた。「ゴリラがよく通る道を見つけたら、太い木を探して、その陰に隠れて待つんだ。狩人は二人か三人でいい。それで、そいつが通りかかったらバッと正面に躍り出て……」と喋りながら、誰もいない小道に走り出て槍を前に突き出した。

「グサッとやるのさ」

そして彼は「ギャッ」と叫んで地面に転がり殺《や》られたゴリラの役まで演じてみせてくれた。全くここの人間は生来の役者である。

しかし、槍でゴリラを狩るというのはなかなか凄《すさ》まじい。いくら槍が長いからといっても至近距離であることには変わりない。仕損じたら、怒り狂ったゴリラの逆襲から逃れることはまず無理だろう。

もっとも最近は散弾銃がかなり普及してきたので、この話も昔のことかもしれない、と思いきや、テレ湖での第一日目の朝、キャンプの近くで大きな物音がしたとき、ポーターの四、五人は、「ゴリラだ！」と叫び、もうピストルの音を聞いた一〇〇m走の選手さながらに槍をひっつかんで森の奥へ走り去ってしまった。完全にやる気だった。

結局、このときはゴリラに逃げられたものの、彼らがおそらく父や祖父の代から受け継いだ〝密林魂〟に私は感銘を受けた。

だが、ドクターはここでも怒った。

「おまえたち、ゴリラを殺してはいけないと何度言ったらわかるんだ。ゴリラは国際的に保護されている動物だぞ」

ポーターたちはポカンとして全くわけがわからんといった感じであった。確かにドクターの主張はもっともであり、私だってブラザヴィルや東京で聞いたらすぐ首肯できるのだろうが、こんなジャングルの中で昔からゴリラと自分の身体一つで張り合って生きてきた人たちに、「国際的」とか「保護」なんて言うのは無意味を通り越して滑稽《こっけい》ですらあった。

それでもドクターの命で、少なくともわれわれのテレ湖滞在中はゴリラ狩りは禁止になってしまった。

昼、私らが故障したソナーをいじくっていると、湖の対岸から突然異音が響いてきた。自動小銃の連射音だった。一分くらいしてまた聞えた。さらに三十秒ほどの間隔で三、四回も繰り返された。

「ムベンベか!?」

気の早い者が叫んだ。しかし、こんな太陽がさんさんと降り注ぐ健全な日中に怪獣がのこのこ現れ、ドクターに小銃で撃ちのめされているとは到底思えない。だいたい想像するだけで不愉快である。

だが、なにしろ、小銃で断続的に二〇発以上撃っているのだ。何か起こったのには違いない。

ドクターが帰ってきたのは、ソナーが火を噴いてわれわれが放心しているときである。カヌーの中に誰かがうつぶせに倒れており、その重みで船は今にも沈みそうなくらいだった。

ゴリラ、正真正銘のゴリラだった。全く人が行き倒れてそのままタンカで運びこまれたといった具合である。

「ゴリラが襲ってきたんだ、ゴリラが」

ドクターはやたら興奮しており、まだ誰も何も尋ねないうちに、あわてて喋り出した。

今日、彼とイサックは、ゴリラやチンパンジーが多いといわれる西岸に行ったらしい。実に幸運なことに、ほどなくしてゴリラが樹上にいるのを発見した。ドクターらはそっとカヌーを岸につけ、かなり近い距離で観察を続けた。

「私はそこで写真を撮ろうとして、ハジメ（戸部のこと）から借りたカメラを出した。ファインダーを覗《のぞ》くと、ゴリラがこっちをじっと見てる。気づいたみたいだ。それで私はシャッターを切ろうとしたら切れないんだよ！　そしたらゴリラの奴《やつ》、するする木を降りてくるんだ。シャッターがどうしても切れなくて写真を撮るのをあきらめ、ファインダーから目をはずしたら、ぶったまげた。ゴリラが猛烈な勢いでこっちに突っこんでくるじゃないか！」

気が動転したドクターは、カメラを放り出し必死で小銃を手にし、迫りくるゴリラに乱射したという。

「いやあ、危いところだった」

と彼はちょっとした英雄気取りの口調である。

それにしても、船にうつぶせに横たわっているゴリラの姿には、やはり、かなりのインパクトを受けた。身長一五〇㎝くらいだが、黒い剛毛と太《ぶっと》い体軀《たいく》、それにとてつもなく筋肉が隆起している腕と脚――。ごつい身体のプロレスラーや柔道の選手を「ゴリラのようだな」とたとえたりするが、まさにあの感じをずーっと延長していくと最後には、今、目の前にある本家本元にぴったりと行きつくのだった。

そして、何よりも不気味なのは、異様にでかいグローブのような手足だ。真っ黒いが、指紋が実にはっきりしている。触ってみると、表面は堅いが妙に懐しい弾力がある。子供の頃、隣に住んでいた八百屋のおじさんのごっつい手に触ったのを思い出した。

「このゴリラはもう年寄りだ。背もだいぶ小さくなっている。ゴリラっていうのは、年を取ると若い連中に群れから追い出され、孤立した生活をするようになるんだ」

とドクターは解説する。彼の話だと、こういう年寄りの雄ゴリラは、孤独の生活で気がすさんでいるため、最も危険だという。一人暮らしの気難しい頑固じじいといったところだろうか。

彼はまた、

「ローランドゴリラには亜種がサバンナ型とジャングル型の二つあり、テレ湖に棲《す》んでいるのはジャングル型のほうだ。この型はサバンナ型、つまり普通のローランドゴリラに較べて色が黒く身体も少し小さい。だから、樹上を伝って移動できるんだ」

と自分の新説も披露してくれた。

解体場所には、血と内臓の海の中に、食う部分をとった後の上半身の残りと頭が無造作にゴロンと転がっている。さっきはよく見えなかった顔をしげしげと眺める。まさしくゴリラ——動物園で昔遠くから見たゴリラの顔をしていた。目は見開いたまま。そういえば、サルにしろ野ブタにしろ獲物はいつも目を開けたまま死んでいる。突発的な最後だからだろうか。

当然、夜は彼の肉を食べる。カヌーに倒れている姿が目にちらつかないといえばウソになるが、それは別に食欲にどうこう影響を与えるわけでもない。解体の現場だって、もうとっくに慣れている。結局は慣れである。味はまあまあ。サルの肉とは全く異なっていた。料理のせいかもしれないが、かなり固かった。(四月十一日)

「食糧がない！」

「食糧がどうも少ないような気がする」

はじめにそう言ったのは几帳面《きちょうめん》な向井である。

三日前のことだ。私や戸部といった粗雑な人間は、例によって「些細《ささい》なことにこだわる向井のたわ言」と聞き流していたが、今日自分で食糧置場を覗いてみると、粗雑な私でもひと目でわかるくらい減っている。慌てて計ってみたところ、何と十三日目にして残りがもう四分の一しかない。われわれはあまりのことに愕然《がくぜん》とした。

「そんなバカな……」

ドクターとデデが来て、すかさず誤解を生む。

「おまえたちは、一日三回米をばかばか食って、なおかつ食間に個人的に飯をつくっている」

もちろん、そんな事実はない。われわれは食事を一日二回、一人一回につき米なら一合、マニオックなら一本、フーフー（マニオックを粉にしてふかしたもの）なら〇・二kgと決めており、食糧係の村上がそのつど自ら計量カップを手にし、純粋数学的に分配しているのだ。

われわれは村で念入りな食糧計算をし、二〇人が四十日間テレ湖に滞在できるだけの食糧は用意したはずであった。途中、大量のマニオックをポーターたちに奪われたとはいえ、ガイドも三人減ったことであるし、一か月はまず大丈夫であると——ついさっきまで思っていたのだ。何か〝落とし穴〟があったに違いない。われわれは鋭く推理を展開させたが、結局、「初めから食糧が全然足りなかった」という結論に達した。

私はあの出発時の混乱を思い出した。荷物の配分に四苦八苦しているとき、村人がどさどさと麻袋につまった米やら粉やらを山積みにした。「おーやっと来たか」と私は急いでそれを小さい袋に分け、ポーターのかごに配って歩いたのを思い出した。あの〝山積み〟にだまされた。おそらく実は半分以上ちょろまかされていたのだ。

多少出発を遅らせても、きちんと計り、完璧な準備をすべきだった、と今さら言っても仕方ない。われわれはニコニコした村の人たちがそんなことをするとは夢にも思わなかったのだ。

ああ、この善良《おひとよし》の人々に幸福あれ。

もっとも、大きな不可抗力もある。本来なら、多少食糧が足りなくなっても、ガイドに村へ補給に戻らせることくらいどうってことはなかったのだ。ところが、この前の事件で村と険悪な関係になってしまい、事情はすっかり変わっている。

うかつにガイドを食糧をとりに帰したら——このような事態は最初の契約にはなかったことだし——酋長《ソダミ》一派がこれ幸いと妨害工作に出る可能性も充分に考えられる。

ここで私は、「ドクターたちとの関係をこじらせるのがいちばんまずい」と思い、ノートの計算を見せながら下手に出た。

彼は「食糧不足」と聞いてから、妙に機嫌がいい。彼をはじめ役人グループはもうだいぶ前から完全にジャングル生活に嫌気がさしている。いつ「もう帰る」と言いだすか、向井と森山がタバコを五本ずつかけているくらいだ。今日だと森山の勝ちになる。

私は懸命に彼の理性にではなく優越感に訴えた。

「ぼくたちはどうしても四十日間ここで調査を続けたいのです。お願いだから協力して下さい」

結局、これが功を奏し、

「五月の初めにポーターが早めに来ることになっているから、今の食糧で四月いっぱいを食いつなぐしかない」

という彼の提案に従うことにする。村上が計算し、結果を淡々と発表する。

「一日二食、一食につき米なら半合、マニオックなら半本だね」

みな粛然とし言葉もない。最初の未確認事件のみでモケーレ・ムベンベの気配すらなく、私は認めたくないが、隊の士気はやはり落ちている。

唯一の楽しみだった二度の食事さえ満足に取れないというショックは大きい。体力が落ちるのだから、当然病人も出るだろう、――と八〇パーセントぐらいがっくりしながら、二〇パーセントくらいワクワクしてくるものがある。「楽勝で四十日過ごすなんてつまらないじゃないか。これで面白くなってきたぞ」という気持ちである。

他のメンバーも多かれ少なかれ、先の心配をしない楽天家なので、私と同じようなことを考えているらしく、たちまち日頃の賑《にぎ》やかさを取り戻した。もっとも、そのくらいでなければ、コンゴで怪獣探検などできないだろう。

さて、嫌なことがあれば、必ずそれを打ち消すようにいいこともある。

今日は食糧問題でみんなが深刻になっているとき、ドゥーブルがワニを獲って帰ってきた。ガビアールという口が細い種（テレ湖にはこれしかいない）で、一・二mくらいの小さい奴だったが、念願のワニに出会えて嬉しい。

さっそく、いそいそと触ってみる。口は片手で握れるくらい細いので一見きゃしゃなように見えるが、実際握ってみるとやはり頑強なのがわかる。歯も小さいが驚くほどに鋭い。人為的に作っても、これ以上強度を保ちつつ鋭くはできないだろう。背の甲羅は固いことは固いが、体長が小さいせいか迫力はない。面白いのは腹と足で、表皮はわりと固いのだが中の肉は柔らかく、押したりするとプヨプヨする。足のクイッと踏んばっている様子もかわいい。

肉はうまいの一言に尽きた。見た目も最初口に入れたときの印象も間違いなく白身魚のそれなのだが、かむごとに歯ごたえを感じ、飲み込むときには、鶏肉のささみそっくりの味になっているのだ。さすがは爬虫類である。

スープがこれまた素晴らしい。油ヤシの実を潰《つぶ》して作られるヤシ油の、黄に赤が混ざったような香ばしい汁に、ワニのうま味が見事に表現されている。栄養もあるだろう。

全く ワニには〝いとおしさ〟を感じてしまう。実際、狩りで殺され運びこまれるのを見て、解体を見物し、その肉を堪能した動物にはひじょうに親近感を覚える。「食べることは愛の表現の一種だ」と前に本で読んだときには図式っぽくて信じ難かったが、真実のような気がしてきた。

ましてや「自分の手で殺してその肉を食べる」ともなると、最高にそれを好いているということかもしれない。究極の愛情とはこんなに一方的でわがままなものであろうか。

最後の骨をしつこくしゃぶりながらの一考察であった。（四月十二日）

雨は「来る」もの

腹が減っている。窮乏生活二日目にして、この腹の減り方は何だろう。

朝は、ワニ肉数きれ。食欲を刺激しただけである。身体を動かす気が全然しない。昨日の雨でまたキャンプは荒れているが、ほったらかしである。

村上のボロボロの銀マットに居候し、ボミタバ語の文法解明に取り組んで気を紛らわせる。なかなか面白く、熱中するので二、三時間くらいすぐたつ。隣の村上も午前中ずーっと数学の勉強をしている。やはりそれで空腹を紛らわせようとしているのだろう。

午後二時から、私と村上の見張りは始まる。見張りといっても、ボーッと湖を見つめて、ときどき思い出したように望遠レンズをのぞきこむくらいである。

怪獣どころか何も現れない。たまに何の変哲もない鳥が横切ると、私が見ているのが、時間のある風景なのだと気づいたりする。ファインダーで少し飛行を追って、また、ボーッとしている。「怠けている」といわれたら、きっと嬉しく思うことだろう。まだ、改善の余地があるという証拠だからだ。しかし、現実的にはこの方法が最も有効ときているからやるせない。

雨は降るものではない、来るものだ。テレ湖で私は悟った。

ここでは、天気は常に南東から北西へ移っていく。したがって、雨雲も南東よりたちこめ、生暖かい風もその方角から吹きつける。そして、雨が「来る」様子はなかなか壮観である。

湖面には風のためにさざ波がたち、対岸から真っ白い霧のようなものが「シューシュー」という不気味な音をたてながら、どんどん近づいてくる。これが、まさしく雨である。今日はそのうえ、雨がわれわれを襲う直前に虹が出た。〝モケーレ・ムベンベ〟である。完全な弧を描いた鮮やかな虹だ。緊迫感のど真ん中にこの雄大な虹。すばらしい眺めだった。

しかし、感心しているのもここまでである。われわれは、暴風雨に身をさらして監視を続けるのだ。雨が降ると突然寒くなる。今日は、降り始めて三十分後には、気温が七度も下がった。

座っていると、尻から水が浸《し》みてくるのでつっ立っている。手も置き場がないので、ただ下に垂らしているだけである。人形みたいだ。人形を雨の下に立たせっ放しにしても動きやしない。それと同じだ。本当に「つっ立っている」とはこういうことをいう。水が目元から唇へ、袖口《そでぐち》から指先へ伝っては落ちる。「〽水もしたたるいい男」と村上が勝手な節をつけて歌った。

夜、また雨が降る。雷が轟《とどろ》き、風が吹き荒れる。状況はますますみじめになる。暗くて全く何も見えない。虚《むな》しい。あまりに虚しい。それでも見張りは続ける。稲妻の光で一瞬湖面が輝くとき、ムベンベが出そうな場所を確認する。一瞬である。

はっきり言って、なぜ自分がこんなことをしているのかわからない。わからないながらも、あまりに無意味な活動をしているので、なぜか快感すら覚える。「普通の人は、ちょっと真似《まね》ができないな」と思う。当たり前だ。

雨が上がる。みんな見張台のまわりに、虫のようにごそごそと集まってくる。ごそごそと食い物の話をし、またごそごそと自分の巣に戻っていく。後は夜勤に任せ、私も虫に混じってごそごそとテントに潜り込んだ。

夜十時、本日の見張り終了。（四月十三日）

〝伝統の魔力〟の厚い壁

夕方、珍しくサブキャンプのガイド、ヴィクトールがやってきた。熱は下がったと言うが、まだマラリアが残っているらしくぐだるそうである。

彼は機嫌があまり良くない。

「昨日の夜、夢を見たんだ」

と彼は私の顔を見ずに言った。

「日本人が旧ピグミー村の土地を掘っくり返して、ピグミーの祖先たちの骨を拾い集めているという夢だった。おまえたち、まさかそんなことしてないだろうな」

ギロッと睨《にら》まれ、私はギクッとした。どうしてそのことを知っているのだろうか。

動物担当の高橋は、テレ湖に到着して以来、精力的に標本採集を行っていた。

あまりに大きなものはワシントン条約にも引っかかるし、だいいち持ち運べないので、対象は小型の爬虫類と両生類に絞ることにした。ヘビ、トカゲ、イモリの類《たぐ》いである。

だが、動物を捕獲するという作業は、素人にはなかなか難しい。それに標本にするためには傷をつけてはいけないのだ。私もヘビを棒で捕まえようとしたが、力を入れすぎて頭を潰してしまった。

ガイドが持ちかえる獲物も、たいていマチェットでぶったぎられている。そこで、高橋はトカゲ生け獲り作戦を始めた。トカゲが最もよく見られる旧ピグミー村にここのところ毎日のように通っている。現地に行くとまず虫獲り網でハエやアブを捕え、長い棒から垂らした糸の先の針にそれをつける。これでトカゲを釣るというのだ。

地面に寝そべって身体をぴくりとも動かさずトカゲを待つのだが、ここのトカゲは天敵が多いせいか非常に用心深く、いっこうに不自然なエサに寄ってこない。そこで、今度は作戦を変え、ワナをしかけることにした。地面に穴を掘りその中に油を塗ったトタン板で壁を作る。もし、トカゲが穴に落ちれば、油のためにすべって外に出られない仕組みである。

高橋たちはその穴を掘っているとき、パイプや壺のかけららしい土器を見つけ、一部をキャンプに持ち帰ったりした。

どうやらそれがヴィクトールにばれたらしい。村の伝統の魔力《トラディショナル・パワー》の伝承者である彼には、聖なる湖においても最も神聖な土地を荒らされて怒っているようだ。

しかし、実は、高橋の話を聞き、私とドクターはもっと畏れ多いことを企んでいた。村跡を発掘し骨や他の遺物を日本に持ち帰り、放射性同位元素法で年代測定をしようとしたのである。

もちろん正確なことはわからないにしても、ピグミーたちが「モケーレ・ムベンベを捕え食べたために」死んだのがいつ頃のことなのか、参考になるかもしれないと思ったのだ。

これは、ガイドたちには秘密で行う予定だったから、ヴィクトールも知らないはずだ。彼の恐るべき直感に私はギクッとしたのである。

ドクターと相談した結果、ボア村との関係が悪化している現在、われわれは親切なガイドを下手に刺激しないほうが良いだろうということで〝ピグミー村跡発掘〟はいったん中止となった。

また、同じような問題として例の小さな二つの湖についても話した。ドクターは八六年のイギリス隊に同行したとき、ドゥーブルの案内でその片方の湖を訪れたが、調査を行うことはついに許されず、一時間くらいで帰らなければならなかったという。

しかし、ドクターも後で知ったのだが、ドゥーブルはただその秘密の湖を教えたということで糾弾され、それまで七年以上も保っていた村長《プレジデント》の地位を追われてしまったのである。

そのような経過があるので、ドクターがいくら説得しても、小さな湖調査に協力しようとしないらしい。それは他のガイドにしても同じことで、こちらのほうも実現が難しくなった。

「ボア村の住人を少し甘く見すぎていたようだ」と私はようやくわかってきた。

過去に行われたどの探検隊の報告書にも必ず、「ボアの村人の反対で○○の調査活動を中止せざるを得なかった」という記述が見られる。日本でそれを読んだときには「こいつら気合いが足りないんじゃないのか」と苛立《いらだ》ちを覚えたものだが、それは全くの認識不足だった。

金の問題ならともかく、信仰上の理由で彼らがダメと言ったら何と説得してもダメなのだ。気合いがどうのというレベルではない。

しかも、ジャングルでは完全に向こうの方が立場が上である。彼らがちょっと気まぐれを起こし、「オレもうガイドやーめた！」とひとこと言えば、それで遠征そのものが終わってしまうのだ。強いことは言えない。

探検隊なんて肩身が狭いもんだ。（四月十四日）

人格者・村上の苦慮

またテントが水没したらしく、私はずぶ濡《ぬ》れになっていた。まだ午前四時だったが、寒くて眠れそうになかったので、そのままドゥーブルの狩りに便乗してしまった。

キャンプに戻ったのは、午前九時頃である。獲物の水鳥とライ魚を地面に放り出し、見張台付近の日本人メンバーがたむろしているところに腰を下ろした。

座りこんでいつものように記録をつけようとするが、集中できない。寝不足と空腹のせいだ。

空腹は日に日に激しくなってくる。それもそうだ。われわれは一日三食で一食につき一合は食べたい年頃なのに、現在は一日二回で一食につき半合という少なさである。身体を動かせばすぐ疲れ、立ちくらみはひどくなり、そして最も困るのは、やる気が何にも起きないことだ。

せめて朝飯が食べられたらと思う。今どきの日本の若者とは違い、われわれは朝、食事をとらないと仕事をするためのエネルギーが湧いてこない。

ところが、なぜかコンゴ人たちはどちらかというとわれわれ探検部員より今どきの日本の若者のほうに体質が近いらしく、朝食なしでも平気らしい。

それで二回の食事は、午後一時か二時の昼食と夜八時すぎの夕食ということになってしまう。これは、ガイドたちが朝夕に狩りを行うので仕方ない面があるものの、朝六時に起き、食物をいっさい口にしないで過ごさなければならないのは苦痛以外の何ものでもない。

しかも、寝る前に夕食を摂《と》るというのもどう考えてももったいない。コンゴ人はこんな食事のリズムでやっていられるのだろうか。

しかし、彼らとて当然現在の状態に満足しているわけがない。われわれは空腹を紛らすために暇さえあればお茶を沸かして飲んでいる。

砂糖なしのただの紅茶だが、熱の分だけカロリーを摂取したような気になるのだ。

われわれの誰かが水を満たした鍋をたき火にかけると、ドクターやデデからすかさずその場で鋭いチェックが入る。

「おまえたち、一体何を作っているんだ!?」

「ただのお茶ですよ」

言い方にトゲがあるので、私はムッとし、皮肉っぽく聞く。

「飲みたいんですか？」

ドクターとデデは肩をすくめてみせるが、それは「おれたちに黙って何かしようと思っても無駄だよ」と言っているようでもある。

お互い疑心暗鬼でピリピリしているのだ。

朝の十時か十一時、空腹感が絶頂に達するころ、毎日のように食事のシステムに不満がつのり、「おれたちは彼らとは飯の時間を変えるべきだ」という話になるが、そうすると配給が複雑化し誤解が起きるのは間違いなく、私は気が乗らない。

とにかく一触即発の状況なのだ。われわれの目的は最低一か月以上、このテレ湖で調査することであり、そのために多少の犠牲があるのはやむを得ない、と自分に言いきかせるが、無力感に苛《さいな》まれ、ますますぐったりしてくる。

午後一時、ドゥーブルはサルの肉が煮えたことを発表した。キャンプはとたんにざわめき、食器のかちゃかちゃいう音、お茶を沸かすためたき火の炎をうちわでバタバタあおる音、「よっしゃ、食うぞ」という気合いに満ちた声でいっぱいになる。

野生動物の肉は彼が料理を含めて完全管理することになっている。理由はなく、ただ習慣である。

肉は一番大きい鍋に一杯煮る。そして、まずコンゴ人たちが自分の分を取り、残りをわれわれにくれるのだ。鍋を受け取るが、中味が少ないような気がする。われわれの肉が平均二切れであるのに対し、彼らの肉は平均三切れであるという向井や野々山さんの報告を思い出したが、あまりにせこいので慌てて打ち消した。

おかずの鍋を、たき火の隣の地面に、ご飯の鍋と並べて置くと、その周りに見張り当番以外の人間が全て集まり、しゃがみこんで次々と食器を差し出す。

これをさばくのは食糧係の村上である。まずはご飯から。いつものごとく、彼はケーキを切るようにご飯に十等分の切りこみを入れた。これが最も公平な分配方法なのだが、自分の取り分が高級喫茶店のチーズケーキより小さいのを見てがっくりする。

それでも、ご飯はどう配っても大差はないのでまだいいが、サルの分配になると一同の注目は高まる。ぶつぎり骨付きの肉片なので、手、足、あばら、と体の部分によって肉のつき方がまちまちである。

さらに、人によっては好きな部分が異なるので、なかなか村上も苦慮する。さすがに「おれのが少ない」と主張するほどずうずうしい奴はいないが、あっちが少ない、こっちが少ないと指示がとびかう。自分の分け前がどうしても少なく見えるので神経質なくらい公平を求めるのだ。

分配はなかなか終わらない。不意に、村上は自分の分を少なくし、

「ぼくはこれでいい」

と言った。

みな、まじめで人格者の村上が遠慮したことで、ハッと我に返り、理性を取り戻した。実は、村上は別に遠慮したのではなく、ここのところ便秘で食欲がなかっただけなのだが、おかげで分配がすっきり終わった。

人から離れ、ゆったりと落ち着いて食事を楽しむのは、育ちの良い森山くらいで、残りの連中は、その場でがっつき始める。

髪ぼうぼう鬚《ひげ》ぼうぼう、真っ黒に陽焼けした手足、汚れたTシャツに短パン、サンダルという異様な男たちが、狭いキャンプの湿った地面で膝《ひざ》をかかえながら、その大きさや形から人の赤ん坊そっくりの肉に夢中でしゃぶりついている。

「餓鬼」――子供のことでなく仏教用語で――という言葉を思い出した。餓鬼が人間の死体をむさぼっている場面はまだ見たことはないが、おそらく今のような状況なのだろう。

かく言う私も餓鬼の一匹である。今日はついている。あばらとも肉、おまけに消しゴムのような肝臓がついている。私はあばらが好きだ。細い骨を一本一本はずし肋骨《ろっこつ》間の肉

をきれいにはがす。ハムそっくりの味がして驚いた。サルのあばらはしょっちゅう食べているが、こんな鮮やかな味を感じたのは初めてだ。腹が減っているから何でもうまいのは確かだが、意外にも味覚はだんだん繊細になっていくようである。限られた条件の中で最大の喜びを得ようとする本能のはたらきだろうか。

夕方、ボート班の戸部と船越から報告を受ける。彼らは昨日、今日と連日にわたって入り江の探査を行った。昨日は、ベースキャンプより東側の入り江を調査、以前から知られている三つの入り江に加え、さらに東に地図にない入り江を二つ発見したという。

また、今日は西側の№4〜№6の入り江を調べた。

その結果、調査した全ての入り江は、さかのぼってもせいぜい一〇〇〜二〇〇mくらいで急激に川幅が細くなり、倒木などのためにボートによる前進が不可能になるらしい。その先は、「川の流れの細さから考えておそらくジャングルの中にのみこまれてしまうだろう」（船越）とのことである。

「あんなところを大型の水棲《すいせい》動物が行き来しているなんて到底思えないよ」

と戸部が、〝水棲〟という専門用語を強調するように言った。

確かに、水の中を主な棲み家にしている動物が、密生したジャングルをあえて移動する理由はないし、だいいち不可能だろう。戸部たちの報告を聞き、やはりそうかと私は思った。

「ムベンベはジャングルの湖や川を自由に動き回る」――マッカル博士やイギリス探検隊など多くの人がそう提唱しているが、私は前からこの説が気に入らなかった。考え方が安易なのだ。

いろんなところでいろんな人が怪獣を目撃しているのをオールマイティに説明するため、また、自分たちが特定の場所を調査し（初めは自信をもってそのフィールドを選択しているのに）何も発見できなかった言い訳にするための論法なのである。

ネス湖のネッシーもソナーによる徹底的な調査で否定的な結果が出て以来、実在論者は「ネス湖は海にトンネルで通じておりネッシーがそこを往来している」という説を前面に押し出しているらしい。調査のときはたまたまどこかに出かけていて留守だったということか。

私はネッシーについては研究してないのでよく知らないが、自分ならソナー調査の結果をまず疑うだろう。あんなに広い湖なのだ。それほど厳密な調査ができるわけがない。〝徹底的な〟とは主催者側の発表でそれをうのみにすること自体が危険である。生物が潜んでいそうな湖底の岩陰、小さい穴など意外にとらえられていないんじゃないか。

また、調査を行った人間が、ネッシーについてあらかじめどのような意見を抱《いだ》いているかも問題だ。断言してもいいがおそらく正体不明の影も結構映っていたことだろう。否定論者なら、どんなえらい学者でもろくに確かめもしないで「あー、そんなの水草、水草」なんてことにすぐなってしまいそうな気がする。

ま、われわれくらいは、自分の見たもの、自分の足で確かめたことだけを信じていきたいものだ。（四月十五日）

キャンプの惨状

早いものでもう第二週が終わる。

メンバーチェンジで、戸部、森山、田村がサブキャンプへ発った。

田村の具合は依然として思わしくない。高熱が続いたり少し下がったりを繰り返し、与えているマラリア治療薬の何が効いて何が効かないのかわからない。相変わらず食欲がなくどんどんやせていく。何よりも本人の元気が全くないのが心配である。みんなで話し合った結果、ここベースキャンプの環境があまりに悪すぎるということで、サブキャンプへ転地療養に出したのである。

入れ替わりに、高林さん、野々山さん、金子が帰ってきた。彼らが見るからに元気そうなので驚いた。環境のちがいは大きい。

サブキャンプは予想以上に食事が充実しているようだ。食事といっても、米、イモの主食はこちらと同じ量に制限されているが、人数が少ない分だけ、肉の配分が多くなってしまうようなのだ。

もっとも、彼らも、われわれがぐたーっと膝を抱えて沈黙している様子や、キャンプそのものが荒廃しているので驚いたようだった。

キャンプの地盤沈下で木の根がぼこぼこと表面に現れ、湿った地面に落ちたゴミはウジの温床となった。

先程も金子が「うわっ」と大声を出した。虫刺されで膿《う》んだ傷口がどうもむずむずしておかしいと思い、貼っていたバンドエイドをはがしたら、大きなウジが二匹も跳ねまわっていたそうだ。

トイレやゴミ捨て場も何百というウジでひしめき合い、塩酸をぶっかけ、ガソリンを燃やしても、すぐまた新しいやつが生まれ育つ。ウジが増えればハエも増える。刺しバエ、ツェツェバエ、アブといった悪質な連中も、人間《エサ》たちがたくさんいるという噂《うわさ》をどこで聞いたものか、湖のそこら中からぞくぞく集結してくる。

水辺は二週間分の食器やら鍋やらの油がたまり悪臭を放つ。こんなところにずっといて——マラリアの田村を除いて——病人が出ないのが不思議なくらいだ。

ただ、虫刺されの被害はかなり広がっている。ある種の刺しバエにやられると、その部分が腫《は》れ上がり膿んでくる。動かすのはもちろん、夜寝ているときでもズキズキと痛むらしい。万能と呼ばれる抗生物質軟膏《なんこう》でも全く効かない。私と村上を除く全員がこの〃ウミ病〃にやられている。向井などは手足二十カ所以上が腫れ、絶えず体のどこかから膿《うみ》や血を流しながら監視を続けている。

もっと悲惨なのは高橋で、また別の虫に刺されたのか、膝と足首がパンパンに腫れ上がり、満足に歩くことすらできなくなってしまった。ドクターに見せたところ、やはり原因はわからないものの「このまま放っておけば悪化する一方だ」という判断で治療を行った。患部を少しナイフでさき、力ずくで膿を外に絞り出す荒療治で「ウギャーッ」という高橋の悲鳴が十五分以上も続いたのだった。(四月十六日)

彼は本当にムベンベを見たのか!?


「おい、高野、さっきドクターと何を話してたんだ。また何かあったのか」

と野々山さんが言った。いつものように、みんなが見張台のところに集まり、夕食後のひとときを楽しんでいるときである。

「いえ……」

と私は口ごもった。別に隠そうとしたわけではない。そのひとときを不愉快な話題でぶち壊したくなかっただけだ。

しかし、いずれは避けて通れぬ問題だ。この際、一気にぶちまけて、みんなの意見を聞こうか。

夕方、食糧の問題でまたもめていた。計算し直すと、四月いっぱいすらもたないことが判明したのである。「食糧がなくなったら帰る」と言い張るコンゴ人メンバーをなだめすかし、結局、イサックとヴィクトールに村まで足りない分の食糧を取りに戻ってもらうことで押し切った。

ただ、帰りのポーター代を大幅値上げし、さらにテレ湖出発予定日を五月十日から四日に繰り上げることで、ボア村と役人メンバーにかなりの妥協をせざるを得なくなった。

それでも、とにかく湖に計三十六日間滞在できるのだ。われわれは一応この結果に満足した。が、私がガックリきたのはその後のことである。

水浴びを終え、肩にタオルを掛けさっぱりした顔のドクターが私のところへやってきた。こういうときの彼は上機嫌で、何でも率直に話をしてくれる。ただ、今日は少しばかり率直すぎた。

「それはそうと、タカノ、いつまでここでこんな生活を続けるんだ？」

「いつまでって、さっき言ったでしょう。五月四日までですよ」

「(肩をすくめて) この調子で見張りを続けるのかい？」

「他に何か方法でもあると言うんですか」

「(再び肩をすくめて) 何でそうテレ湖ばかりにこだわるんだ？　モケーレ・ムベンベがいるのは、ここだけじゃないんだぞ」

「小さい湖のことを言ってるんですか。でも、あれは村人の反対が強すぎる。まさか、脅しをかけて強引に調査しようっていうんじゃないでしょうね」

「いや、私が言っているのはリクアラ川のことだ」

彼は、リクアラ川沿いの村はほとんどくまなく歩き回って情報収集をしているという。ムベンベが出現するポイントもすでにいくつか押さえてある。なかでもキナミという、ボアから一〇〇㎞ほど下流の村のそばでは、かなり頻繁に目撃されており、存在の可能性も高い。

何しろリクアラ川流域は広い。他にも、いろいろと興味深い地域がある。一カ所に留まらず、もっと積極的に動き回ってはどうか……。

そりゃ、できれば、私もそういう活動をやってみたい。しかし、それは次の話だ。今回の標的《ターゲット》はあくまでもテレ湖、ここを完璧に見極めなければ、他の場所へは移れない。私は怪獣をこの湖と分かちがたいものと思うようになってきている。ムベンベがいるにしろいないにしろ、テレ湖から撤退するということは、われわれの探検そのものが大きな方向転換を迫られることになる。

もっと言ってしまえば、別のところで別のものを探すくらいの、気持ちの上でギャップがある。

「何といっても、最も可能性があるのは、この湖ですからね」

私がきっぱり言い切ると、彼はあっさりと言い放った。

「でも、私の考えでは、モケーレ・ムベンベはもうここにはいないよ」

私は口をぽっかり開けて、彼の顔をマジマジと見つめた。いきなり爆弾発言するなよと言いたくなった。

「どういう意味ですか？」

私は顔を引きつらせて聞いた。

「確かに、数年前まではここにいたんだが……」

「……だが？」

「……今は他のところへ移動してしまったんではないだろうか」

自分が初めて調査に来たとき、テレ湖は幻の動物が棲息するのに最高の環境だった、と彼は説明する。探検隊はもちろん、村人もほとんどやってくることがなかった。普通の動物も今よりずっと豊富で、人を怖れたりしなかった。チンパンジーやゴリラが目の前を悠然と横切っていったり、昼間から水面にワニがプカプカ浮かんでいるのが見えたり、それこそ動物の楽園だった。

ところが、今はちがう。森や湖で動物を見かけることすら容易ではなくなってしまった。人が来すぎる。ボアの連中が狩りをやりすぎる。

「モケーレ・ムベンベは静かな環境を好む動物だ。しかし、ここも人に荒らされるようになった。おそらく、彼らはそれを嫌って他の川か湖に行ってしまったのだろう」

彼は一気に喋った。しかし、私はその程度のことでだまされたりしない。

「どのように移動したんですか」

「水路づたいにだ」

「でも、あの水路はジャングルの中をチョロチョロと流れているだけですよ。あんな密生した森を大型動物が通れるわけない」

「ゾウだって、密生した森を歩くさ」

彼は、私の口答えが気に入らなかったのだろう、プイと横を向いてしまった。

ゾウは水棲動物ではないからね、と私は言おうとしたがやめた。今は論争するより、彼の心の底を覗いてみたかった。

「ムベンベはもういない」――ムベンベ研究の第一人者であるドクター・アニャーニャ、あんたはどういう気持ちでそんなことを言えるんだ!?

「あいつ、本当にムベンベを見たのかよ！」

私が日本人メンバーにこの話をし終わると、最近機材の故障やウミ病で極度にイライラしている向井がヒステリックに叫んだ。

「そうだそうだ。どういう理由があるにしたって、自分の目で本当に目撃してるなら、簡単にそんなことを言えるはずがない」

得意のパワーを発揮するチャンスがなく、やはりうっ屈している野々山さんがすかさず同調する。

「調査に対する熱意もあんまり感じられないしね」

と高林さん。

〃ドクター狂言説〃が一気に燃え上がりかけたところへ、ベースキャンプに戻っていた森山が落ち着いて水をかける。

「でも、まるで見てもいないのに見たなんて言いますかねえ。そこまでしてウソをついて、彼にどれほどのメリットがあるんですか。ムベンベが世界中から注目されれば、有名になるし、金も入るだろうけど、肝心の怪獣が発見されなければどうにもならない」

「だけど、インチキの写真やテレビ番組をでっち上げて金もうけしてる奴もたくさんいるぜ」と野々山さん。

「それはテレビとかマスコミの場合でしょう。ドクターは生物学者ですから、そんな一過性の金もうけは後で自分の首を絞めるだけでしょう」

「おっと、家のローンが払えなくて、目先の金に走ったか!?」

と向井が話をずらすので、私がすかさずまた元へ戻す。

「森山の言うことも一理ある。いくら人がいないとはいえ、ドクターはコンゴ生物学界の第一人者だ。国家を背にしょっている。ただの旅行者が『見た、見た』と言うのとはわけがちがう」

「それにしちゃ、やる気がなさすぎるんじゃないか」と再び高林さん。

これには、日頃、ワニの標本の作り方などをドクターに指導してもらっている高橋が反論する。

「いや、エリート学者が何度も、こんな大変な地域にアタックしているのは大したものだ。それより、おれたち素人のやり方やボアの連中の邪魔が気に入らないだけかもしれない」

「夜中もスターライトスコープをのぞきによく起きてくるよ」

性格的にやさしい金子がつけ加える。

「そうだな。ここから帰りたがっているからって、ムベンベ目撃がウソだとは直結しないもんな」

と船越。

そこへ鉛筆をいじくりながら村上が初めて口をはさんだ。

「だいたい、ドクターが目撃したとき、イサックも一緒に見てたんでしょう」

そうだ、それを忘れていた。

「ドクターに言いくるめられていたのかもしれない」

向井が徹底的に懐疑する。

「さすがにそこまではしないだろう。それに証言自体にわりと信憑性《しんぴょうせい》があると思うよ」

私は答え、さらに前から考えていたことを述べた。

「まず、ドクターとイサックでは、同じときに同じものを見たはずだが、中味がぴったりと一致しない。ドクターの証言が『水面に二～三mの背中が浮かび、さらに一mほどの首が上に突き出ていた』と克明なのに、イサックの方は『黒くて大きなものが見えた』と言うだけだ。つまり、二人が口裏を合わせていないという逆の証拠になる。

それともう一つ、おれが引っ掛かっていることがあるんだ。ドクター、イサックともに、ムベンベの目撃時間を二、三十分としていることだ。しかも、その間、怪獣はほとんど動かなかったって言うんだろ。これは元ガイドのマーフの証言とも妙に一致するんだけど、ねえ、こういうウソのつき方ってするもんかな？　おれだったらこう言うぜ。『怪獣らしきものを発見したわれわれは急いでボートを出し接近したが、充分に近づく前にムベンベがこちらに気づき、あっという間に水中に姿を消した』、なんてね。こういう風に言えば、一見自然そうだし、ごまかしもききそうだけど、じっとしているものを二十分も見続けたなんて後ですぐばれそうだし、ウソとしては苦しすぎるんじゃないかな」

「うーん、その意見はちょっとうがちすぎという気がしないでもないけど、でも、おれもドクターとイサックが何かを見たというのは本当のような気がしてきたな」と野々山さん。

「でも、彼ら二人の証言の食い違いは大きな意味があるんじゃないのかな」と高林さん。

「そうですね。いくらイサックの方が遠くにいたからといってもおかしいですよね。よく見えるドクターの位置まで充分歩いていく時間があったはずだし……」

「じゃあ、首があったなんて、あいつのウソに決まっている！」

向井が決めつけた。

今度は森山も賛成する。

「意図的なウソかどうかはともかく、そこまではっきりと見てはいないんじゃないですかね」

「不明な部分は、想像力で補って発表してしまったってことか」と私。

「うん、それで今となっては、それが本当にムベンベだったのかどうか自信がないんだけど、世界に公式発表をした以上、どうにも引っ込みがつかなくなってしまった、というのはどうですか」

「確かに、そうすると辻《つじ》つまは合うよな」

いつもは反応が遅い船越が真っ先に同意した。うん、そうかもしれない。話のうまい人はまるっきり出まかせのウソはつかない。自分の体験を適度に誇張したり、人から聞いた話を挿入して脚色する。

しかし、と私は思った。推理としてそれは筋が通っているのだが、やはり推理でしかない。心の底によどんだものが残っている。

「だけど、ドクターたちが見たものは何だったのかな？」

と不意に村上が根源的《ラジカル》な疑問を提出した。

「そりゃ、〝何か黒くて大きいもの〟だよ」

私も根源的に言い返した。

「うーん、なるほど、なるほど」

村上は意味もなく納得してしまった。

どうしてこんな簡単なことがわからないのだろうか。私は何とも腹が立ってきた。別に、〝人間の幸福〟か〝世界の真理〟とかについて知ろうとしているわけじゃない。彼らが見たものは何だったのか、ただそれが知りたいだけだ。カメならカメでいい、恐竜なら恐竜でいい、水草のかたまりならそれでいいのだ。写真を撮らなくても、証拠をつかまなくても、それさえわかれば、黙って帰っていいのだ……。そういう気持ちになっていた。

今日でちょうど湖の全日程の前半が終わる。残り半分で、われわれにわかるものは何なのだろうか。（四月十七日）

第五章

ラスト・チャレンジ

ゴムボートで湖を探索

樹上観察のため大木に登る

「何とかせねば……」


私は朝から気分がすぐれなかった。

体の調子はいいのだが、なぜか昨日までの充実感がない。消えてしまっている。

それにこのけだるい雰囲気は何だろう。見張りの二人以外はみなグターッとして何もしていない。昨日のトラブルや夜の会話が直接の原因というわけではないが、何とも言えない無力感が漂っていた。

私は自分たちの行っていることに急激な虚《むな》しさを感じた。このまま何も残らずに終わってしまうのだろうか。終わってしまって日本で何が待っているのか。無関心と借金の山だけだ。そして何よりもこんな気持ちが帰国後もずっと残ると思うとたまらなくなった。借金は返せても、虚しさは返せない。

「いかんいかん、何とかせねば……」

私はあわてて立ち上がった。

さっそく、仲間を集めて話し合うが、特にこれといった案が浮かばない。ビデオ、五〇〇㎜望遠レンズ、スターライトスコープ（夜間暗視装置）、高性能マイク、録音専用テープレコーダー、カメラのリモートコントローラー……。われわれはジャングルの調査としては充分すぎるくらいの機材を用意しているはずだが、いま一つ有効に使っていない。「これで怪獣がちょっとでも姿を現したらバッチリだ」と思っていたが、裏を返せば「怪獣がちょっとでも現れなければどうしようもない」ということなのだ。積極的に探す方法には役立てられない。

　もっとも、積極的に探すといってもどうしたらいいのだろう。

　まず、最初に思いつくのは、水中に潜ってみるという方法だが、テレ湖の水は、もともと紅茶色であるうえ、細かい泥で濁っており、透明度は約三〇㎝、自分の手足もよく見えないくらいで、お話にならない。

　ムベンベを釣り上げようという話も出たが、プランクトンや魚を食べるのならともかく、草食動物と言われているものをどうしようというのだ。釣針に草や葉っぱをつけて流すのか。これもダメ。

　話は進むにつれ、ますます非現実的になっていく。

　〝底引き網漁船方式〟――入り江に仕かけてある網を持ってきて、それを二艘《そう》のカヌーで引っ張り、湖底のムベンベを他の魚ごと一網打尽にしてしまうという案だが、何しろ湖は広い。直径二～三㎞はある。そこを二〇ｍほどのボロボロの網でかき回しても、夕食のおかずが若干増えるだけだろう。だいたい、この方式は船が獲物より速く動かなければ意味がない。船外モーターが二つくらい必要だ。もっとも、モーターがブンブンとうなりを上げて近づいていったら、ムベンベにあっさりと逃げられてしまうかもしれない。

「結局、もっと高性能の機械があればいいんだ」

と技術《テクノロジー》至上主義の向井は言う。自衛隊が持っているような水平レーダーや、三次元ソナーがきっと有効であるとか。私にはわからないが、彼がそう言うのならそうなのだろう。なるほど手段を選ばない作戦だ。

手段を選ばないというならもっといい方法がある、と誰かが言った。

「テレ湖の水を全《すべ》てかき出してしまえばいい」

みんな力なくハハハと笑った。

「そういうのなら、もっと簡単なやり方がある」

と村上がいつものようににこやかな顔で言う。

「湖に毒をまけば、死体が浮いてきてすぐわかるよ」

やろうと思えばやれるだけに、ドキッとさせられたが、これが本当の究極というものだろう。〝手段を選ばない〟なんてみだりに言うべきではないな、と思いつつ、話のための話は打ち切り、現実に戻る。結局、他にすることもないので、月並ながら、取りあえず、三、四日かけて湖一周探査を行うことにした。

夜、その計画をドクターたちに告げると、とたんに説教の嵐を浴びせられた。どうやらわれわれがその場の思いつきだけで行動していると思っているようだ。

——いやそれは違う、ぼくたちは初めからムベンベの証拠つかみに全力を注いでいたんだ、あくまでその方針は変えてない。それで最後まで何もつかめなかったらどうするのだ？　それはそれで仕方ないと思う。ぼくたちはベストを尽くしたのだから。

「なるほど」

とドクターは皮肉っぽく言った。

「確かに君たちは満足だろう。しかし、われわれにいったい何が残るんだ⁉」

私はちょっと返す言葉がなかった。強烈なカウンターを喰らったような気がした。金はこっちが払って来ているのだから、やりたいことをやる権利はあるのだが、それではコンゴ政府に立つ瀬がないというのだ。

学者にしろジャーナリストにしろ、外国人がやって来ては何かして引き上げていくが、写真や資料はおろか、報告書すら送られてくることが珍しいという。だから、コンゴの人間は自分の国がどうなっているのか知らない。

「フランスに行くと、雑誌や本でアフリカを扱ったものがワンサと出ている。私たちはそれを見て初めて知るんだ。『あーコンゴのこういう地域にはこういう人々がいてこういう生活をしているのか』とね」

ひどい話である。これではまるっきり植民地のままだ。そして、もしわれわれが何も成果を残せないのなら、結果的にその無礼な輩《やから》と一緒くたになってしまうというのも事実である。そんなつもりじゃなかった、と言ってもしかたない。それに、成果が上がらずに最も苦しむのは他でもない自分たちなのだ。今朝、私が痛切に感じたのはそれだったのではないか。それを、コンゴ側の立場から裏返しに指摘されたように思えた。

今後の対策について、ドクターとひとしきり協議した後、みんなに集まってもらい、状況を詳しく説明していく。

「……というわけで、確かに今までのコンゴ人側の非協力的な態度は際立っていたけど、彼らの言うこともも っともだと思う。これから残りの日は、計画を立て直し、見張りはもちろん続けるが、動植物を含めた湖の自然環境についてもデータをとっていくべきだろう」

詳しいことは明朝のミーティングに託し、われわれは思い思いの気持ちを抱《いだ》いて、シュラフに潜りこんだ。（四月十八日）

ゴムボート改造

昨夜以来、ころっと従順な小羊に豹変《ひょうへん》したわれわれは、ドクターの提案を受け入れ、全面的にスケジュールを組み直す。

その結果、まだ誰もきちっと行っていないテレ湖のビデオ撮影に全力を尽くし、同時に樹上観察と次回のために正確な情報収集を行うことにした。

こちらが完全に協力的になったので、彼らも妙に親切になり、隊全体に和んだ雰囲気が漂っている。珍しく見張台のそばに役人メンバーが集まり軽口を叩《たた》く。

「うーん、モリヤマ、カネコ、タカバヤシは典型的な日本人だな」

「えっ、何で？」

「いつも真面目《シリアス》で物静《クワイアット》かだからだよ」

確かに、最年長の高林さん、最年少ながらすでに自分の世界観を確立している森山は、われわれのなかで最も理性的だろう。金子は全然理性的でも何でもないが、医療係として神妙な顔つきで薬を配っているのでそう見えるのかもしれない。

「タカノとムカイは、中国人だ」

「陽気でよく喋《しゃべ》りよく動くから」

私が中国人になぞらえられるとは思わなかった。

「ハジメ（戸部）はコリアンだ。いつも、きょろきょろ辺りをうかがっていて、頭が良くはしっこい」

われわれはどっと笑った。近年経済成長著しい韓国のイメージがバイタリティあふれる戸部のイメージとよく重なると思ったのだ。しかし、それは勘違いであった。コンゴ人たちは「ピョンヤン、ピョンヤン」と言って笑っているのだった。コリアンちがいか。さすがに東側諸国の一員である。

「タムラは、雰囲気的にタイ人かな」

なるほど、色黒で細いのにふっくらとした顔立ちはバンコクあたりでよく見かける。

「トシキ（村上）はベトナムの農民だ」

これも彼の朴とつな顔やイメージにぴったりである。

「ヨウスケ（高橋）はカンボジアのゲリラみたいだ」

童顔に小柄だががっしりした体格がインドシナの少年兵を連想させるらしい。

野々山さんに関しては、

「うーん、他のどのアジア人にも当てはまらないから、きっと日本人なんだろう」

と消極的に母国の国籍を認めた。

「船越だけがまだ出ていない。彼は？」

「フナコシ？　ああ、おれたちはあんなタイプの人間を見たことがないよ。火星あたりから飛んで来たんじゃないか」

キャンプは明るい笑い声でつつまれていた。

さて、ドクター始めコンゴ役人グループとドゥーブルが、さっそく行動を開始した。

まず、ゴムボートの上に立ってビデオ撮影ができるように、底に板を敷くという。そのテクニックが卓越していた。直径二〇㎝もあるような木を何本も切り倒してきた。何をするのかと思いきや、マチェットでつけた切り込みに、くさびを打ちこんでいくのである。五、六回くさびを打つと、頑丈な丸太もあっけなく割れてしまった。

その作業を繰り返し、ごつごつとした板状の木を何本も作る。最後に、それらをマチェットで一本一本削って、まるですのこのようにきれいな板に仕上げるのだから恐れ入る。私もマチェットを手にし少しばかり挑戦してみたが、全くうまくいかない。われわれが手出しできないのを見たせいだろう、彼らは異様に張り切っている。三時間余りぶっ続けで仕事を完璧《かんぺき》に終わらせてしまった。

底に板を敷いたゴムボートは、船上での撮影が容易になったのはもちろん、安定したおかげで何とスピードが一・五倍くらい速くなった。すばらしい。

「今まで何をしていたのかな？」という疑問は残るものの、われわれ日本人メンバーの結論は、「腐ってもコンゴ人」であった。（四月十九日）

現状打開は？

サブキャンプから連絡がはいる。田村の病状がまた悪化したらしい。転地療養もだめか。「高熱が続いている」という森山の声もいつになく不安そうなので、ベースキャンプに移送することにする。

もしもの場合、多少医学の心得があるドクターがそばにいたほうが良いと判断したのである。

こうしてメゲることが多いものの、メンバーは現状打開に気合いがはいっている。村上と金子は旧ピグミー村へトカゲ釣りに、高橋は樹上観察の下準備に出発した。私は見張りをしながら情報収集のリストを作っていた。

夕方、西の湖上から戸部がカヌーで近づいてくるのを見て驚いた。彼は、サブキャンプに移ってから暇つぶしにカヌーの練習を始めたらしいが、たった三日でそれをマスターし、本日五時間かけて炎天下、湖を一周してきたというのである。

「動物もムベンベもいないし、暑いし、疲れるし……」

とぐったり腰を下ろした彼だが、その顔は充実感と喜びで一杯だった。

私は戸部の嬉《うれ》しそうな様子と、彼の話を聞きながらなかば感心しなかば妬《ねた》ましいという表情をしている他のメンバーの様子を見て、「ああ、みんなエネルギーの発散場所を求めているんだな」と痛切に感じた。（四月二十日）

テレ湖の野生動物

ドゥーブルの狩りのシーンを録画すべく、四時起きで出かける。水上から獲物を狙《ねら》うという狩猟方法はなかなか珍しいものだと前々から思っていたのである。

ここの夜明けはゆっくりしている。五時ちょっと過ぎ頃東の空が白々としてくる。やがて空は赤みを帯びながら明るくなっていくが、その薄ぼんやりした曙《あけぼの》がかなり長く続く。風はやや涼しいかなというくらいで、湖においていちばん気持ちの良い時間帯といえる。

五時三十分頃、雲の中からポッカリと夕日のように赤く大きい太陽が顔をのぞかせ、あたりはすっかり明るくなる。有史以来何度繰り返されてきた光景であろうか。

〝永遠〟が〝変わることのない〟という意味であるならば、ジャングルの中の秘密の湖、テレ湖で迎える朝ほど〝永遠〟を感じさせるものはない。その中で、ゆるやかな波紋を描き進む木の船に揺られてビデオカメラを構えている私は何者なのだろうか、などとつい、いらぬことを考えてしまう。

何者だっていいじゃないか、それよか早いとこ獲物を見つけてとって帰ろうぜ。仲間が腹すかして待っている。

最初の漁場No５モクザまで一時間くらいかかる。私としては、ドゥーブルとバンバン話をして、ボミタバ語を覚えかつ狩りについても聞きたいところだが、なかなかそうはいかない。彼は船を漕《こ》ぎながら、常に目を配り耳を澄ませているのだ。

しかし、近頃は私の目や耳もだんだん慣れてきた。ジャングルで常にざわざわしているンデケ（鳥）——これは通常狩りの対象にならない——の声や音と、他の大型動物の音をかなり区別できるようになってきた。

例えば、サルが木から木へ跳び移って枝葉を揺らす音は、鳥が立てる物音よりずっと連続的で音そのものも当然大きい。「ワッサ、ワッサ、ワサ、ワサ……」というふうに聞こえる。また、「ブォッ、ブォッ」という明らかな鳴き声でもわかる。チンパンジーは、まだお目にかかったことはないが、音はときどき聞く。まるで人が歩いているような大きな音、またときには太い枯木が倒れるような音もする。

野ブタの物音も何度か経験してわかるようになった。いつも決まって、水辺でパキパキと小枝を踏みしだくような少しこもった音がするのである。ドゥーブルに言わせると、「あいつらは泥を食っている」のだが、おそらく泥の中の木の根っこをかじっているのであろう。

まあ聞く方はまだわかりやすいが、見つける方はもっと難しい。というより、彼らコンゴ人とわれわれとは視力が違いすぎる。前に「アフリカ人の視力は四・〇以上ある」と誰かに聞いて大笑いしたことがある。どうやって四・〇という数字が出てくるのかは知らないが、まんざらウソでもないだろう。

ドゥーブルは湖の対岸からサブキャンプやベースキャンプを確認することができるし、実際動物を見つける目は並はずれている。「ほらワニだ、ほらカワウソだ、今泳いでいるじゃないか」と言われても、全く何も見えやしない。なかば頭にきて「いったい、ここの人の目というのは何なんだろう!?」とよく思ったものだが、最近、それも経験によるところが大きいということがわかってきた。

ワニは入り江の付近に浮いていることが多いし、天気の良い日なら岸辺の倒木の上などで日なたぼっこをするらしい。ニシキヘビも同様に、日なたぼっこでボーッとしているところをよく見かけるので、これは大型爬虫類に共通した習性だろう。

カワウソは岸辺が少し入り江状に引っこんだところを好むようだ。特に、ヤシが繁《しげ》っているところがチェックポイントである。

獲物が現れそうな場所に来ると、ドゥーブルがほとんど反射的に五感を緊張させる様子が、はたから見てもよくわかる。

逆に言えば、彼の態度に気をつけていれば、だんだん狩りのスポットがわかってくるのである。まさに、知るということが感覚を磨くのだ。

そこまで考えたときである。今まで漠然と胸に引っ掛かっていたことが、強い疑念の形で噴出してきた。彼らがよく知らない動物が果たしてこの湖に存在しうるのだろうか。彼らの鋭敏な耳と目、それに先祖代々の経験による知恵から逃れて、それは生き続けていることができるのだろうか。

彼らは常ならぬ何かを見たと言う。森と湖を熟知している彼らの証言だからこそその信《しん》憑性《ぴょうせい》は高いと実在論者は主張する。それはそれで正しいようだが、それほど単純なことだろうか。逆の見方もあるのではないか。熟知しているはずの人間が、〝常ならぬ何か〟を見ることこそ、不思議なことである。どうしてムベンベだけが彼らの〝熟知〟の範疇《はんちゅう》に入らないのだろう。ましてや湖はジャングルと異なり、限られた、それも見通しがたいへんよく利く空間なのだ。

彼らは、本当のところ、ムベンベに対してどのように考えているのだろう、と私は思った。彼らは怪獣のことをためらいもなくディノゾー（恐竜）と呼ぶ。私はそれが好きではない。いかにも〝習った知識〟の臭いがするからだ。私が知りたいのは彼らの知識ではなく、彼らの五感が捉《とら》えるものなのだ。もっともっとボア村人の内側に近づいていきたいものである。（四月二十一日）

マラリアの孤独

鳥たちがまた鳴き始めた。今日一日を台無しにした雨もようやく上がり、少し暗くなった青空が見え始めた。ここベースキャンプからは森が邪魔しているおかげでわからないが、サブキャンプでは真っ赤な夕日が森平線に沈むのを見ているかもしれない。人も動物もホッと一息つく時間である。

珍しく田村がテントから出てきた。病人独得の雲の上を歩くような足どりで、見張台の私の横を通りすぎる。水辺でTシャツだけ脱ぎ、そろそろと水の中へ入っていく。それにしてもやせた。腕など申し訳程度に肉がついているくらいだし、胸には判で押したようにあばら骨が浮き出ている。岸から二〜三mのところで静かに水浴びを始めた。

どんな異常なことも、毎日続けばそれは日常となる。マラリアで熱が四〇℃近く出れば初めは誰でも驚きあわてふためくが、いつも四〇℃近い高熱があるともなれば、誰もがその事実に慣れてしまうのだ。もっとも田村の場合、ずっと同じ調子なわけではなく、ときどき少し良くなったり、また悪化したりの繰り返しである。

周期は不規則で、与えている数種類のマラリア治療薬のどれが効いてどれが効かないのかさっぱりわからない。それでも薬を飲ませて、あとはしかたなく安静にさせておくだけである。こういう宙ぶらりんの状態で、彼の病気はテレ湖の風景に溶け込むように日常化していった。

みんなは彼にあまり話しかけなくなった。心配していないからではなく話すことがないからだ。不吉なことを言えるわけもないし、いいことや楽しいことを言ったって気休めにもならない。だいたい、何を言っても田村本人がにこりともしない。

　われわれは、毎日怪獣の見張りをし、カヌーやゴムボートで湖の探査を行い、一日二回田村のテントに食事と薬を持っていく。そういうものだと思うようになっていた。

　しかし、なぜか今は、こうして黙々と水を浴びている彼の姿がやけに印象的に映っている。平和すぎる夕暮れだからだろうか。

「あいつは今何を考えているのだろうか」とふと思った。多少想像はついても、ジャングルの奥地でマラリアで苦しんでいない私には彼の本当の気持ちはわからない……。


――（田村の回想）――


　ついていないときは全くついていないものだ。マラリアの薬であるダラプリムも完全ではなかったようである。

「高野さん、もしこのまま病状が悪化し、もし意識がなくなったりしたら、ここからボアまで運び出してもらえるんでしょうか。『もし』ですが、あくまでも」

「無理だな、ここで治すしかないだろう」

　ふと、あのときの高野さんの言葉が頭に浮かぶ。自分はこれからどうなるというのだろうか。もちろん、死ぬなんてことはないだろうが、やはり不安である。せめてブラザヴィルで、いやボアで発病してくれたなら……。

突然高熱を発しマラリアを疑ったのは二週間前のことである。高熱に加えて、マラリアの典型的症状である背中から腰にかけての痛みもある。

ぼくは不安にかられた。不安になると、黙ってはいられなくなる。人と話したくなる。不安な気持ちを、愚痴をきいてもらいたくなる。そういえば、幼い頃注射に行くたび、医者に「注射痛いですか」と聞き、「全然痛くないよ」と期待していた答えが返ってくると、ただそれだけで妙に気持ちが落ち着き、安心感が湧《わ》き上がってきたものだった。だから、ぼくは期待していた返事を求めて、不安をみんなに聞いてもらおうとした。いや何でも構わないから話したかった。そのくらい不安であった。

マラリア発病当初、高熱を出していたにもかかわらず、ぼくが極めて明るい——というより、「よくしゃべった」のは、こんなことに因《よ》るのである。

また同時にちょっとおおげさかもしれないが、病院も医者も不在のこんなジャングルでマラリアが発病したという恐怖感に抵抗し、大見栄を張り空《から》元気を装ってよくしゃべったということもある。

しかし、最初のうちはともかく、病気が長びくにつれて、まわりのみんなもこんなぼくの話し相手になっていられなくなったようだ。ぼくの言葉に対する返事はだんだんつれなくなってきた。「病いは気から気から、情けないなあ」などという人もいた。

だが、しかたない、ジャングルの真《ま》っ只中《ただなか》で、病人を朝から晩までかまう余裕なんてないのだ。そう思おうとした。

ただ言えることは、この状況で誰も頼りにできないということだ。自分、ぼく自身を信じるよりほかはどうしようもないのだ。

しだいにぼくはテントの中にこもり、人と口をきかなくなった。「田村、飯だ、食べに来い」と言われて食欲もないのに食事をとりにテントから這《は》い出る以外、ほとんど外へ出ることはなくなった。たまに外へ出ても誰とも口をきかず、両膝《りょうひざ》の上にあごを乗せて、ただボーッと湖を眺めているだけである。

何もしないでこんな何もないところで、しかもこんな限られた狭い場所にいて、人とほとんど口もきかず、ただぼんやりと考えていると、一週間もすれば何も考えることがなくなるということがわかった。ほんと考えることが尽きてしまうのだ。こんなのは思いもよらなかったことである。ただボーッとしているだけとなった。

何もないテレ湖畔での生活においても、二度の食事と睡眠という二つの楽しみは残されているはずだ。なのにぼくには二つとも残されていない。はっきり言って食欲なんてない。無理に食べているのだが、体重がどんどん減っていくのがわかる。日本を出る前は六五kgあった体重も、今となっては五〇kgちょっとといったところだろうか。だから座っていても、尻の肉が落ちたためごつごつする。「ジャイアント馬場みたいだ」とも言われた。ぼくは馬場のファンだからその比喩《ひゆ》自体はいいのだが、やはり人から「やせたやせた」と言われるのは嬉しくない。

あるとき、ドクターが私のことを見ていた。あわれそうな視線を送りながら、

「ずい分体重が減っただろう」

と声をかけてきた。ぼくはただただうなずくだけだった。

ドクターはみんなに好かれていない。その自己中心的な考え方にみんな苛立《いらだ》っているのだ。しかし、彼はなぜかぼくにはやさしい。ぼくの寝ているテントを覗《のぞ》くときは、本当に心配そうな顔をして声をかけてくれる。

もう一つの楽しみであるはずの睡眠もぼくにはない。マラリアのためか、不安感のためか、眠れない。とにかく眠れない。三日間続けて一睡もできないなんてこともある。

マラリアにかかって以来、湖では平均して一日三時間以上は決して眠っていないだろう。夜が来るのが怖くさえある。まわりに人の寝息を感じながら、テントにこもっているのはつらい。

そんな夜中にふと身体にどうしようもなく力がはいり、じっとしていられなくなるときがある。狭い所を抜け出して、走り回りたくなる衝動にかられることもある。

だが悲しいことに、このキャンプには走り回れるような空間はない。そして何よりもそんな体力がない。せいぜい便所までのぬかるんだ小道を進み、自分専用のテントまで戻り、湖を物欲しげに一瞥《いちべつ》して中に入るか、水浴びするだけである。平均三〇℃近い、温泉のよ

うな湖の水につかっているときだけ、心が少し和むのだ。

＊

彼（田村）は水浴びを終え、入ったときと同じようにそろそろと岸へ上がってきた。そして、私の横の比較的乾いた草の上へ腰を下ろした。毎日ほとんどずっとテントで寝ているのに、彼は誰よりもよく陽焼けしている。体質なのだろうが、皮肉な話だ。

「田村、調子はどうだ」

と私はもう何十回繰り返したかわからない質問をした。

「さあ、あまり変わらないみたいだけど……」

彼は顔を少しこっちへ向け、ぼそっと答えた。目が虚《うつ》ろだった。また黙りこくってしまった。

無理もない、と私は思った。まだ探検部に入って活動らしい活動もしていない一年生にとって、現在の状況はあまりに酷である。

しかし、今はある意味で彼の探検部生活の、あるいは人生の分かれ道といえるだろう。たとえ無事に日本へ帰って健康が回復しても、悪くすると、この苦しい思いだけがこびりついて何をするにも臆病《おくびょう》な消極的な人間になってしまうかもしれない。が、彼の精神が充分強ければ、逆にこれを「あのときのことを思えば何でもやれる」という自信に転化させることもできるだろう。経験に裏打ちされた自信ほど強いものはない。

田村には目標がある。すでに絶滅したといわれるニホンオオカミを探し出すことだ。彼にとっては、このコンゴの遠征もその目標に至る道程なのである。そのためにもぜひこの試練に耐えて欲しいものだ。とりあえず、今、私が彼にしてやれるのは食事のたびにココアを添えてやることだけなのだが。(四月二十二日)

非常事態発生

遅くても昨日の夕方に到着するはずだった食糧は、今日の午後になってもまだやって来ない。不安な気持ちを押し殺し、村上、デデとともに第四週、最後の勤務地であるサブキャンプに向かう。

四十五分でサブキャンプに到着。土が堅い——というより地面がある、木の根につまずかないで歩ける、すわる場所がある、そして、この静けさ……。ベースキャンプに較べるとまるで楽園のごとしである。

先週勤務の戸部、森山との入れ替えを行おうとすると、また非常事態がボッ発。何とゴムボートに二㎝もある大穴が開いてしまったのだ。ゴボゴボ音を立てて空気が抜けていく。「あれーっ」という感じである。手近な道具で応急処置を施そうとするが、まるで歯が立たない。

しかたないので、彼らは、肉を運びにやってきたドゥーブルのカヌーでベースキャンプへ帰った。

明日ベースキャンプから修理キットを持ってきて修復することにしたが、なおるかどうかわからない。ボートは怪獣探査と物資、人員輸送の命である。なおらなければ、とどめの一撃となろう。

サブキャンプの夜は素晴らしい。ゆっくりと太陽が森平線上に沈み、西の空は濃厚なオレンジ色に染まる。その色が、ここにもありそうでいて実は全くない熱帯果実を思い出させる。

そして、ゆっくりと暮れていく。今夜は、久し振りに雲がなく、星が一面に輝いている。おかげで空は黒色より気持ち分紺色に近いような気がする。水面は鏡のように平らで決して取り乱すことがない。それでもわずかに波があるのだろう、木彫りの船が岸辺でゆったりとゆらめいている。

半月が高く昇り、ヤシの木がシルエットに映える。虫や獣の声は、ベースキャンプで聞くものと明らかにちがう。地面があるというそれだけで生態系が異なるのだろう。それに人が少ないので、動物たちの声が近い。ジャングルに包まれているのが実感として湧いてくる。

いい場所だと思った。景色と雰囲気の他には何もないところであるが。（四月二十三日）

「食糧が届いた！」

昼頃、戸部と向井が修理キットを持って現れる。午前中全くすることがなく、空気が重たかったのでホッとする。

さっそくボートの修理を試みる。とりあえず穴をふさぐが、これで完治するかわからない。不安が残る。

そして、それ以上の心配は、食糧をとりにいったガイドたちが帰って来ないことだった。この遅れ方は普通でない。村人の妨害でもあったのだろうか。

ベースキャンプでは、もう明日で食糧が尽きるという。予想通りとはいえ、愕然《がくぜん》とする思いである。機材がどんどんダメになり、病人は治らず、ボートは動くかどうかわからず、食うものはない。まさに、われわれは満身創痍《まんしんそうい》、ボロボロ、村上に言わせれば「ダルマの一歩手前」であった。

「これからどうするんですか」

と向井がきく。

「まだ、燻製《くんせい》の肉があるから何とか生き延びられるよ」

と私は答えた。

ひと呼吸おいて戸部が言う。

「高野さんのムベンベにかける情熱はよくわかるけど、もう少しメンバー一人一人の意見も聞いて欲しい。その一環として自分の意見を言わしてもらえば、ぼくたちの目的だった科学的調査はすでに敗北している。今でさえ空腹で動けないのに、主食が完全になくなって、膝をかかえてまで、ここに残る意味があるのだろうか!?」

彼は、サブキャンプ日誌にもぶちまけていたが、自分のやるべきことがわからずに悩んでいるようだった。彼だけではない、みなそうなのだ。単調なジャングルの湖での生活もはや四週間目、目標、充実感、やりがいを見失い、自分の存在意義、もっといえばどうして自分が他の人間ではない自分なのかすらわからなくなっていた。

みんな同じ、ただ腹をすかした役立たずの若者であるにすぎない。

「みんな思ってるよ、これは高野さんに連れてきてもらったようなもんだし、高野さんの計画だって……でもね、……」

けっして彼は悪い意味で言ったのではなかったが、私の胸に突き刺さるようなものがあった。

私は別な意味で、つまり指導力と実力がないということで、リーダー失格だと思っていた。私はまるでメンバーの気持ちがわかっていなかったのだ。何と情けないことだろう、仲間にこんなことを言わせるとは……。私は沈黙した。

話はこれからのことに戻る。今日、食糧が来なければ、もう選択の余地はない。一部の人間を残すにしろ、残さないにしろ、大部分もしくは全てのメンバーは荷物を背負えるだけ背負ってここを脱出するしかない。

あわれな話だが、例によって私には悲観的なイメージは湧かない。だいたい、まだ私はテレ湖に残ろうと思っていた。隊全体の方針を批判した戸部、黙って聞いていた向井も、

「自分自身は残ってもいいと思っている」

と表明した。

そうこうしているうちに時はどんどん過ぎる。あと三十分したらベースキャンプへ緊急ミーティングに出発しようというとき、遠くから人のわめき声がした。

「エクーテ《ほらきけ》！」

とデデが叫ぶ。

ボアからの道に通じる仮キャンプで数人の男たちが手を振っている。来たのだ、食糧が来たのだ。

応急処置のボートで仮キャンプへ急いだ。空腹でいちばん参っていた戸部がはちきれんばかりの喜びで漕ぐ。曰《いわ》く、

「こんな充実した漕ぎはないぜ」

イサック、ヴィクトールの他に四人のポーターが来ていた。みな若くて気のいい連中だ。もちろん食糧も到着している。計ってみると、頼んだ米二五kgが実質一四kgしかないのには苦笑させられたが、村人による〝濾過《ろか》（横取り）〟はいつものことだし、日程に一日分足りないだけなので、どうにかなろう。これから普通に食事ができるという夢のような生活が始まるのだ。ボートも何とか使用できそうである。

「われわれはまだ敗北していない！」

夜は、仔ブタの燻製と念願のマニオック一本である。食するにあたって何か儀式でも行いたい心境だったが、日本風にただ大声で「いただきまーす」と言うにとどめた。

仔ブタ肉は火の通り具合が最高で、しゃくっしゃくっと口に溶け込むよう、その合い間に作りたての新鮮マニオックをかじりまくる。感動も束《つか》の間、五分くらいで食事が終わった。満腹である。

心地良さの中に奇妙な虚しさを感じる。「おれが夢にまで見たのは、こんな他愛《たわい》もないことだったのか」と思ったのである。

しかし、食欲が満たされれば、今度は甘いものがむしょうに欲しくなった。面白いのはそのない物ねだり的な欲求が満腹の虚無感を吹き払ったことだ。若干の希望はいつも残しておけということなのだろう。（四月二十四日）

テレ湖一周探査行

朝、雨とゴムボートのパンク修理のため、湖を一周する小旅行《スモール・トリップ》への出発は遅れていた。計四度目のゴムボートの修理をドクターとジョンが行っている。やはり一昨日のダメージは大きく、間に合わせの道具ではいくら頑張っても穴がふさがらない。だが、何とかかんとか水に浮くので、「まあ、いいか」ということになった。

向井と戸部はボートに乗り込んだ。

この小旅行は、ゴムボートで湖を一周し、テレ湖の自然環境や動物を初めて本格的に映像に収めようというもので、またモケーレ・ムベンベ探査の〝最後のアタック〟ともいえた。

今回は、二回計画されたうちの一回目の小旅行で、行程は三日。メンバーはリーダーのドクター、日本人が戸部と向井である。人選はドクターによるのだが、英語の通じる戸部、そしていつもヘラヘラと笑顔を絶やさない向井の二人が、彼にとっては御《ぎょ》し易《やす》いと考えたにちがいない。

ボートは乗組員三人の他に、ビデオカメラなどの撮影機材、ビデオ用バッテリー充電のための発電機、野営用品、食糧として米（ドクターはマニオックを食べられないので）とブタの後足で、もうぎっしりという状態である。

さらに、ドクターの指示によってボートの先端に木の枝やヤシの葉がくくりつけられカムフラージュが施された。丸太を切り出して船に底板を敷くというアイデアとともに、ゴムボートの利用法としては全く新しい試みである。

ようやく昼頃、三人の旅は始まった。戸部とドクターは櫂を持ち、向井はビデオカメラを手にして、ゴムボートはのろのろと西回りに進む。雨はすでにあがっていた。波は少々荒いが、晴れわたった空を「グウェッグウェッ」とわめき散らしながら水鳥が追い越していった。

出発してどのくらいたった頃だろうか、ドクターが前方を指差して言った。

「あそこにサルがいるぞ。静かに近づくんだ」

二〇〇mばかり先の高さ三〇mほどの木の上に、なるほど、サルが一匹座っている。

二人はそろそろと櫂をさばき、向井はビデオカメラを構える。なかなかうまくいかない。ボートは左右にも上下にも揺れるので、片手で船を押さえ、別の手で撮らなければならない。どうしても画面がぶれてしまう。

樹上のサルはしばらくこちらをうかがっていたが、三〇mの距離まで近づくとガサガサと枝を伝って森の奥へ消えていった。いま一つ面白くない。

「怪獣もこのくらい現れてくれたら嬉しいのにな」

と戸部が言ってもしかたないことを言った。

もうわかりきっていることだが、テレ湖の景色は実に変化に乏しい。そのうえ、ゴムボートでのろのろ進んでいくので、退屈な場面をスロー再生で見ているような気がする。おまけに動物も全然現れない。

あまりの単調さにか、ドクターが戸部にいちゃもんをつけ始めた。

「そんな白い服着てるから、動物が警戒するんだ」

しかし、彼の〝白い〟Tシャツは一か月近くのジャングル生活で汚れがしみつき、誰が見ても灰色と薄茶色のぶちにしか見えない。

戸部はそれにカチンときて、ドクターが頭に巻いている純白の「静岡農業組合」の手拭《てぬぐい》について指摘すると、ドクターは不機嫌そうに黙った。三人の間に気まずさだけが残った。

機材を大量に載せ、前面に木の葉っぱをワサワサと繁らせ、ムッツリ顔の男たちが漕ぐ奇妙なボートは、その午後、全く何の変化にも遭遇せず、夕方まで進み続けた。

湖を四分の一周したところ、入り江№6ディンギレの少し先にある地面の上にキャンプすることになった。湖の西岸も他の部分と同様、乾いた土地がごく稀《まれ》にしかない。この日の寝床もその貴重な土地の一つである。

翌朝、少しあと戻りしてディンギレの入り江にはいる。戸部はともかく、向井は今まで三週間、〝機材の守り神〟としてほとんどベースキャンプで過ごしており、テレ湖の他の部分はほとんど見ていない。それなりに、新鮮だった。ディンギレの河口は優に一〇〇mはありそうで、望遠レンズからは全くとらえられない大きさである。大河が注ぎこんでいるようにも見える。

鮮やかなスカイブルーの小鳥や、ミニチュアのムベンベよろしく水面に顔を出しシュルシュルと泳いでいく小さな水ヘビを見ながら奥へ進む。入り江は見た目より奥行がなく、三〇〇～四〇〇mも進むと、幅はかなり狭くなり同時に底も浅くなってきた。

少し行くととうとう繁茂した水草と倒木に行く手を阻まれた。左側にボートを寄せ、上陸する。

やはりこのジャングルも水浸しというか半ば水沈していた。ひっそりと暗い森の中をつたを切り払いながら進む。ドクターは時おり幹にナイフで傷をつけ目印を残す。

ドクターが頭上に数匹のサルがいるのに気づいた。戸部と向井は言われるまで全くわからなかった。さすがにドクターは目ざとい。動物学者ゆえか、はたまた恐しく視力の良いコンゴ人ゆえか。首が痛くなるほどサルを観察する。親子のようだ。

さらに歩く。ドクターが今度は地面に何か見つけたようだ。かがみこんで、ぐしゃぐしゃの地表についたくぼみを指差し、ゴリラの足跡だという。続いてゴリラの座りこんだ跡を見つける。大木の根元だ。もし、彼の言うことが正しいなら、明らかに湿地帯に生息するゴリラである。

「ここはゴリラの通り道だ。戻ってくるかもしれないから、少し待ってみよう」

ドクターの言葉に、三人は倒木に腰を下ろした。

結局、一時間待っても現れないので一行は腰を上げた。残念だが本格的にゴリラを探す余裕はない。

陽が高くなってきた。さんざん道に迷った揚句、ボートに戻り出航した。今日はすっかり晴れわたっており、コンゴ雲が得意顔という感じでプカプカ浮かんでいる。このような直射日光は厳しい。肌がジリジリと焼ける音が聞えそうなくらいだ。

鳥以外は全く動物の姿もない。戸部とドクターは疲れが来ていたが、「もう少し進めば何かあるかもしれない」という虚しい期待を胸に黙々と櫂を動かす。刺しバエとツェツェバエにも絶えず苦しめられる。戸部は足を刺されまくり、次第に感覚がなくなってきた。何でこんなことをしなきゃならんのか、と思いながら重い腕を動かし続けた。

湖の南側にある「ドゥーブルのキャンプ」に着いたのは、夕暮れ時だった。ここは湖岸から少し離れたところにある堅い地面の小島である。数本のヤシの木、たき火の跡、すり切れた漁網、そしてレモンの芽が一つ。まんまるい湖に浮かぶ差しわたし一〇mもないような小島。なかなかメルヘンチックなところである。湖岸までは二〇mくらい、水面に倒してある丸太を伝って渡る。

湖で魚を獲り、湖岸で獣を撃つ。そして夜は堅い地面で寝る。ドゥーブルはここでそんな生活をしているらしい。

翌朝、早くから飯も食わずに森に入る。例によってじめじめした森のなかに動物たちを探すが、何も発見できず。岸に戻りボートで出航した。

湖をはや三分の二周し、サブキャンプもそう遠くはないという地点を通過中、森の中で何か物音が聞えた。上空には白いワシが数羽旋回している。このようなときには下に大型の動物がいるのだという。ゴリラかチンパンジーだろうか。

ボートを急いで岸に寄せて、森のなかへ一気に踏み込む。踏み込んで驚いた。枯葉や小枝が敷きつめられた地面に、小さなアリがうじゃうじゃと蠢《うごめ》いているのだ。それだけではない。握った木の枝、足をかけた幹、顔に触れた葉、全てにアリがびっしりとへばりついている。それらが袖口《そでぐち》、ズボンのすそ、襟元から続々と上陸し、体中をはいずりまわる。はいずりまわるだけならどうってことはないが、こいつら咬《か》みつき出すからたまらない。身体をよじり、服の上から我身にバシバシ平手打ちをくらわしながら、それでも意地になってしばらく前進するも、何も見つけられず。走ってアリ地獄を脱出した。船に戻ると、みな裸になり、アリ退治に専念した。このアリにあまり咬まれると熱が出ることもあるという話である。さきほどの動物はおそらくこのアリを食べていたものと思われる。

　本日も晴天である。波はほとんどなく鏡のような水面の向こうにサブキャンプが見えた。もう正午を回っているのだ。早くあそこで朝食を食いたい。

　本日も異常なし、ムベンベなし。（四月二十五〜二十七日）

サブキャンプでの生活

　サブキャンプはパラダイスでも何でもなかった。それどころか毎日午後はテレ湖にやってきて以来、最も不愉快な時間であった。

サブキャンプは湖の東岸に位置するため、西日が当たってたいへんに暑い。そのうえ、堅い地面であるため、また、人の滞在が長いためか異様なくらい虫が集まってくる。チョウ、ツェツェバエ、アブ、ミツバチ、アリ、ハエの猛攻を浴びる。

　奇妙なのは、日によって目立って多い虫が変わっていくことだ。サブキャンプ二日目はツェツェバエに刺されまくった。三日目はミツバチで理由もなく人の身体に群がってくる。勝手に足の裏や腋《わき》の下に入りこんで動けなくなった奴《やつ》が私の皮膚に一針くれて果てる。飯を食っていても、無数のハチが集まってきては椀《わん》に突っ込み、魚煮のスープにはまって死んでしまう。集団飛び込み自殺だ。私が死体をスプーンですくって外に捨てる間も自殺者は募るばかりで、これでは飯が食えない。全く彼らの人生観を疑いたくなる。

そして、四日目はチョウだ。チョウがたかるくらいいいじゃないかと思うかもしれないが、とんでもない。チョウなんて一頭二頭――この数え方自体おかしい――でいるから可愛らしくもあるので、たえず体中に二〇も三〇もたかられたら頭にくるってもんだ。

……いかん、いかん、どうして虫ごときにこんなにいらいらしているんだろう。オレとしたことが。どうやらよっぽど欲求不満がたまっているらしい。

私は多少気を取り戻した。まだ、怪獣発見の可能性がないわけではないのだ。実際、ベースキャンプのメンバーも最後の頑張りを見せているではないか。

トランシーバーの定期交信によると、今朝早く、高林さん、野々山さん、デデの三人が第二次湖一周探査に出発したという。二十四時間監視はもちろん、高橋を中心とした動物の樹上観察も毎日しっかりと行われているらしい。

昨日の晩など、通信に出た高橋は、声を聞いただけでそれとわかるほど疲労困憊《ひろうこんぱい》していた。朝の五時から夕方の五時まで高さ二〇mの木の枝にじっと腰かけカメラを手にし動物が来るのを待ち構えていたという。私にはまだそういう仲間がいるのだ。

とはいうものの、未《いま》だに作動している数少ない調査機材は全てベースキャンプに集結されてしまい、こちらサブキャンプでは何も調査を行うことができない。私のパートナーである村上は、キャンプの先端に倒れている白い巨木の上に裸で座り込み、呆《ほう》けたように湖を眺めている。私はヴィクトールのところへ話を聞きに行くことにした。

　最近、私は暇さえあれば、彼にボミタバ語やボアの生活習慣、伝統宗教について聞きまくっている。それが怪獣調査にどのような重要性があるのか、と深く考えたわけでもない。怪獣のいる湖を所有する村の人たちに限りない興味を抱いただけなのだが、ヴィクトールが話し好きということもあってわりと面白いことがわかったりする。

　今日は、ボアの家族について聞いた。

「ターカ（私のこと）、ボアには八つの家族があるのを知ってるか？」

「ナエビ・テ《いやしらない》」

　と答えると、彼は子供にさとすような口調で説明を始めた。

　ボア村には八つの家族（家系）があり、それら全てに順位がつけられている。最も位が高いのは酋長《ンダミ》の家系で、村・湖に関するあらゆることを支配する酋長はこの家系から出ることに決まっている。

　二番目は、ヴィクトールの家系。酋長が不在のときに代理人の役割を果たすこの家系の長《おさ》は、実はあの〝じじい〟なのだが、もう年なので自分の権限をヴィクトールに譲ったのだという。それで彼がわれわれに同行してここにやって来たらしい。

　三番目、スポークスマンじいさんの家系。この家系の長が代々酋長のスポークスマンを務めることになっている。

四番目は私の知らない人が長である家系。

以上、四つの家系の長が集まって村の〝最高議会〟を形成しているという。

五番目の家系はドゥーブルが長である。これは別名〝恐竜《ディノゾー》（ムベンベ）の家系〟と呼ばれる。どうしてかと私が聞いても、ヴィクトールは、

「昔、ディノゾーと関係があったからだ」

と言うばかりで、詳しいことは教えてくれなかった。

六番目、イサックが所属する家系。

七番目、五番目と同様これもドゥーブルが長を務める。妙な話だが、彼の母親がこの家系出身だからだという。

八番目は、われわれが村での宿舎としてあてがわれた家の主人、ボベという長老の家系である。

また、各家系にはそれぞれシンボルがある。ヒョウ、ワニ、ヘビ、特別の木の枝……。もし自分のシンボルが動物であれば、それを殺したり肉を食べたりしてはいけない。

そこまで説明すると、急にヴィクトールは、

「おれは森では死なないのだ」

と言い出した。どうしてかと聞くと、

「そういう家系なのだ」

それぞれの家系はそのシンボルが守ってくれるらしい。彼のシンボルは、ヒョウだ。

「ドゥーブルはどうなの？」

と私は聞いた。

「ディノゾーの家系は、水（湖・川）では死なないんだ」

なるほど、まだ私の知らないことがいろいろあるのだな。

不思議の村・ボアの話を聞くこと、それも怪獣探検隊の立派な仕事の一つなのかもしれない。（四月二十八日）

ムベンベの食べ物

午後、イサックがサブキャンプへやって来て、私に何枚かの葉っぱをくれた。

「マボンジの葉だ」

と彼が言うので、私は大喜びした。これがムベンベの食べ物と言われる〝マボンジの葉〟か——。

私がこの葉の存在を知ったのはつい最近のことだ。定説では、怪獣の食物は〝モロンボの実〟であることになっているので、私もてっきりそう思いこんでいた。

〝モロンボの実〟とはどんな果物か知らないが、「薄く赤い表皮に、中は堅い乳白色の果肉」（マッカル隊、一九八一年）というから、リンゴに似たようなものを想像するといいのかもしれない。

とにかく、どういうわけかこの見知らぬ果実が謎《なぞ》の動物の食物ということになっており、国際未知動物学会の会報にも、あるアメリカの研究所が行ったこの果実の栄養分析の報告が掲載されたことがあるくらいだ。そこでは、それが含有する脂肪分、たんぱく質などのパーセンテージを細かく計算しているが、結局、「この果実だけでは大型生物が生活していくのには栄養が足りない」と結論づけられている。

先週、ベースキャンプで私はこの〝モロンボの実〟というやつを見てみたいと思い、ドゥーブルに聞くと、

「ここにはない」

とあっさり言われてしまった。

モロンボはリクアラ川沿いにしかないらしい。では、ムベンベは何を食ってるんだ。食うものがなかったら可哀そうじゃないかと私が問いつめると、彼が教えてくれたのが〝マボンジの葉〟であった。今度見つけたら摘んでおいてくれと私が頼んでおいたので、それをイサックにことづけてくれたようである。

「しかし」

と私は村上に言った。

「何の変哲もない葉っぱだな」

楕円《だえん》に近いハート形で、大きさや手にした感じでは桑の葉に似ている。葉がついている枝を見れば、樹木でなく灌木《かんぼく》のようである。

「こんな葉っぱだったら、よほど食いまくらなきゃ体を維持できないんじゃないかな」

「そうだね。とすると、怪獣はちょくちょく水辺に現れなくちゃおかしい」

「だいたい水の中に暮らしている動物が陸地の植物を食べるというのが不自然だよな」

「なぜムベンベが魚を食うという説が出ないのかな。草食獣より肉食獣のほうが現実的と思うけど」

私と村上はいつもよりシビアに会話を交した。この湖でもう三十日も調査をしてきて、明日はサブキャンプを撤収するのだ。少しくらいシビアにならざるを得ない。

それにしても、どうしてこの葉っぱがムベンベの食べ物となってしまったのだろう。他にもたくさんの草や木の葉があるのに。

私はイサックに、

「メレシ・ミンギ《どうもありがとう》」

と言い、このマボンジを一枚ずつ丁寧に日記にはさんだ。

日本に帰る頃には、奇麗な押し花になっているだろう。（四月二十九日）

サブキャンプ撤収

昼前、第二次湖一周探査隊がサブキャンプに到着。高林、野々山両氏とも連日の猛暑で真っ黒に陽焼けしている。あまり成果はなかったようだ。ただ、二日前、入り江№8ウメのそばでキャンプを張ったとき、何度もすぐ近くでゴリラの大合唱を聞き感動したとのことである。

午後四時、サブキャンプの撤収開始。

その目的の曖昧《あいまい》さや仕事のなさから〝過剰人員対策〟とか〝休養所〟とか悪口を浴びてきたサブキャンプもついに今日限りでおしまいだ。テントをたたむと、ポール（プラスチック製の骨組）がひん曲がっていた。普通では考えられないことだ。一か月もこんな登山用テントを張りっ放しにしていたことに改めて気づく。ザックをパッキングしながら、村上が「ホタルの光」を歌っていた。

五時半、仮キャンプに着く。初めのイメージとあまりに変わっているので驚いた。もちろん、場所そのものが変わったのではなく、私の受ける印象が変わったのである。

ここは村の領域と湖の領域との接点だ。最初、われわれは村からやって来た。そして、未知なる湖の領域へ足を踏み出そうとしていた。湖が大きく、海のように見えた。このちっぽけなキャンプなど湖にひと飲みにされてしまいそうだった。

今、私は湖の領域から帰ってきた。もう湖は背後にある。よく知ってしまった湖は、小さく、未《いま》だ充分に魅力的であるにしろ、ずい分とおとなしく見える。

そして、もはやテレ湖の脅威を感じないこのキャンプは、村への確実な、なくてはならない宿場となったのだ。気のせいか、私はここで、つい村の方を向いて座ってしまう……。

ベースキャンプからも輸送が開始された。第一陣として、ドクターとジャンが到着。二人ともご機嫌である。ようやくこのつらい労役から解放されると言わんばかりであった。

村上は、「ベースキャンプの最後を見届けたい」とボートで出かけて行った。私もここでの仕事がなければやはりそうしたかった。私たちのこの気持ち、コンゴ人たちにはわかるまい。(四月三十日)

隕石の謎

快晴。直射日光を浴びると身体が一秒一秒焦がされていくのがわかる。最近は、日中も夜も天気がいい。帰りの泥沼も少し水が減るだろう。

昼、向井と田村が金子とともに到着。向井と田村は、ドクター、ジャンと一緒に明朝一足先に村へ向けて出発する。道すがら密林の撮影を行いながらゆっくりと歩き、村の手前でわれわれと合流する予定だ。

ゴリラの映像が撮れればラッキーだが、私としてはそのことより田村の体調が心配である。

ここのところ小康状態を保っているが、まだ微熱が続いている。今日も三七・四℃あるという。いくらゆっくり歩くとはいえ、一か月近く身体を動かすことすらほとんどしていないのだ。ジャングルの中で高熱を発しても倒れているわけにはいかない。村まで、休み休みでも歩き続けるしかないのである。

私は田村に大丈夫か、と聞いた。彼はボソッと、

「やるっきゃないでしょう」

と答えた。全くその通りだ。やるっきゃないのだ。

二時頃、金子とサブキャンプへ〝隕石《いんせき》〟を取りに行った。天気がいいので、のんびりボートを漕ぐには最高だ。空には真綿のようなコンゴ雲が浮かんでいる。

〝隕石〟はヤシの木の根元に転がっていた。野球のボールよりやや大きいくらいだが、手にするとズシリと重い。重さもそうだが、錆《さ》びたような臭《にお》いから、鉄が含まれているような気がする。全体的に茶色で、ところどころ赤っぽかったり黒が混ざっている。表面は、

年月がたってかなり丸みを帯びた凹凸だらけである。一見して〝隕石〟と呼びたくなるような石だ。

他のメンバーの話だと、この石はサブキャンプを最初に設営したときから、そこにあったという。しかし、こんなものがなぜこんなところに存在するのだろうか。この湖周辺にしても、村の方でも、天然の普通の石さえ見たことがない。だから、「鉄器文化が入る前は、いったいどうしていたのだろう」という疑問も湧くのだが、それはさておき、不思議な話である。

まあ、こんなところにいきなり太古の昔から落ちているわけがないので、誰かが持ってきたのだろうが、何のため、どこからやって来たものかわからない。

ひょっとしたら、この妙な石がテレ湖の特殊な環境の謎を解く鍵《かぎ》になるやもしれぬと私は思い、興奮してきた。

テレ湖は全体的に底が浅く平らなのだが、岸辺は実にくっきりしている。ジャングルがぎりぎりまで迫り、そこから突然一mくらいほとんど垂直に落ちこんでいる。喫茶店にある丸く平底の灰皿——あの巨大なやつをまるで誰かが衝動的にコンゴの湿地性ジャングルにずぶっと埋めこんだかのようである。

単に深いか浅いかではなく、この形状に重要な点があるのではないか。

湖の深さに関する論議で、ムベンベ巨大恐竜説を唱えるものは、湖が実際に言われているより深いはずだと主張する。彼らはこう言う。

「もし、それほど浅いのなら、繁殖力の強い密林にあっという間に覆われてしまうだろう」

しかし、私は、湖に目印をつけながら、あるいは狩りに同行しながら注意して見ていたが、岸辺はどこも全く同じようにえぐれている。とても、徐々に森林に飲みこまれつつあるようには思えない。どちらかと言えば、逆に森の方が水に浸食されているのではないかという印象を受ける。

もう一つ気づいたことがある。旧ボア村から湖までは実にひどい湿地帯（ポトポト＝泥の土地の意）だったが、最も水が多いのはちょうど中間地点くらいで、湖に近づくにつれて水が少しずつ減っていったのを憶えている。私が湖岸のところどころで上陸してみた経験では、湿地ではあるもののポトポトに較べると断然水の量が少なく地表がしっかりしている。なかには仮キャンプ付近のように水がほとんどなかったりするところもある。

つまり、湖の縁がさらにその外側に較べてほんの少しながら盛り上がっているのではないか、という第二の疑問が湧いてくるのだ。

テレ湖が隕石孔であるなら……これらの疑問が一気に氷解するのではないだろうか。

ジャングルに突然、ヒューとかゴーとか音をたてて隕石が落下する。地表に激突し土地を円形に深くえぐる。周辺部分はその余波でもっこり盛り上がる。

やがて、何万年か、何千年か知らないが、ともかく時がたつ。湖岸が浸食されたり、水の流れが湖を出入りすることによって土砂がたまり、底は浅く平らになる。

同様に湖の縁でもっこりしていた部分も次第に削られていったが、まだ若干その痕跡《こんせき》が残っている——。

実際、アメリカの調査隊のレポートに、「『テレ湖は隕石によって作られた』という伝説がある」と報告されている。もし、この石が本物の隕石であれば、非常に面白いことになる。おそらく熱帯ジャングルでこれだけ大きな隕石孔というのは、世界的にも例がないにちがいない。

私たちは仮キャンプに戻った。隠して持ち帰るのが無難だと思ったが、どうしてもこの石の由来を知りたくなり、ついヴィクトールに見せてしまった。とたんに彼の顔色が変わった。

「おまえたち、どうしてそれを持ってきちまったんだ!? だめだ、返してくれ。お願いだから返してくれ!」

何としてでもこの貴重な標本を手放したくなかった私は得意の〝笑ってごまかす戦法〟で切り抜けようとしたが、彼は完全に真剣であった。

「ダメだ。これはナイフを研ぐ石だけど、もともとピグミー村にあったものだ。持って帰ったりしちゃいけない。これは湖のものだ。勝手なことは禁止されてるんだ!」

ドゥーブル、イサックもそれに同調し、ドクターたちはわれわれの方につき乱戦模様となったが、このまま放っておくとポーターたちが来たときに、どのような騒ぎに発展するかわからず、結局返さざるを得なかった。

まだ村に同じものがたくさんあり、それをくれるというので我慢することにする。

それにしても彼らの信仰にはあらためて驚かされた。特にヴィクトールなど、普段は金やモノの話ばかりして俗っぽい男だが、伝統的《トラディショナル》なことになると人間が変わってしまう。これでは、金子がピグミー村にあったパイプのかけらをキープしていると知ったら大変なことになるだろう。

それにしても、伝統的な問題となると、いつも決まって〝ムベンベに滅ぼされた〟ピグミー村の話が出てくるのはなぜだろう。モケーレ・ムベンベ——テレ湖——ピグミー村——隕石、これらを一つに結び合わせているものは一体何なのだろう。

謎は深まるばかりだ。(五月一日)

二十四時間完全監視終了

朝八時、ドクターたち先発隊が湖を去った。

ベースキャンプの撤収作業が続く中、午前十二時、ようやくポーターたちが次々に到着、懐しい面々が、「ンボテ・ンボテ《やあやあこんにちは》」と連発する。えらい騒ぎだ。

ガイドを馘《くび》になったディドとマーフ、曲者《くせもの》エベタスに角笛男サミュエル。おっ、しっかり〝じじい〟もいるではないか！　〝湖の責任者〟と呼ばれる長老が死んだというから、もしやじじいがテレ湖行きの騒ぎで張り切りすぎて倒れたのかと思って心配していたが、元気そのもので安心した。彼は嬉しそうに、ますます長くなった私の髪とひげを引っぱった。


　みんながボミタバ語を話しているのはなぜか不思議だった。閉鎖社会は終わったのだ。今回の遠征で私は、フランス語、リンガラ語に加え、ボミタバ語も少し話せるようになっていた。それを少しだけ披露してしまったら、果たして、午後は人が殺到して仕事にならない。私のボミタバ語をぜひ体験したいという連中、私がもうペラペラになっていると勘違いし早口で楽しげに話しかけてくる連中、さらにその後、この友好ムードを利用した陳情ラッシュが始まった。

　まず、ポーター間に起きたもめ事が私のところに持ち込まれる。そんなことは私の管轄外だというのに、少しでも自分の立場を有利にしようと入れ替わり立ち替わり「ちょっと話がある」と言って、やって来る。

　それから、ガイドをはじめ、みんながやけにやさしくなった。〝遠征隊放出品争奪戦〟終盤の得点稼ぎと言質《げんち》とりにせいいを出しているのだ。それも、大声を出せば出すほど効果があると考えている者が多いので耳がガンガンする。

　日が暮れる頃、私はヘトヘトだった。


　六時、ついに最後までベースキャンプに残っていたメンバーが、監視用機材とともに到着した。後半は荒廃と地盤沈下でボロボロだったベースキャンプも、長い滞在でひとかたならぬ愛情が湧いていた。われわれの去った後、それを残していくのが忍びないので、ひと思いに焼き払ってしまおうという者もいたが、もちろんそんなことはしなかった。

　あのキャンプ跡が再び完全なジャングルに埋もれてしまうまで、あとどのくらい月日が必要なのだろうか。この次、われわれが来たときにはどうなってしまっているのだろうか。また別の探検隊がキャンプを張るのだろうか。

　本日が二十四時間監視最後の日だ。総計三十三日間、よくぞまる一か月もこんなことをしていたなという気持ちである。

　私は仮キャンプの水辺にスターライトスコープを据え、手前の草むらに腰を下ろした。他のメンバーは調査終了で心が浮き立っているらしく、まだ数時間の見張りが残っていることなどすっかり忘れてしまっているようだ。まあ、おれが言い出したことだ、最後はおれ一人でやるか。

　湖について、怪獣について、考えられることはもう考え尽くしていた。あとは黙って眺めるだけだった。樹々の合い間から、村人やメンバーたちの賑《にぎ》やかな笑い声が聞える。時間が長く感じられた。

高橋がいつものようにひょっこりやってきた。彼と会うのは久し振りだ。二人で湖を見ながら話をしていると、今度はガイドのイサックがやってきた。彼はわれわれにタバコを差し出した。彼がタバコをくれるなんて珍しいこともあるものだ。ボア人の彼もこんなに長く湖に滞在したのは初めてなので、われわれほどではないにしても、何かしらの感慨があるようだ。

イサックのくわえタバコを回して火をつける。ライターやマッチもほとんど残っていないのだ。

深々と煙を吸いこみ、フーッと吐き出した。しばらく沈黙が流れたが、やがてイサックがポツリと言った。

「君たちはついていなかったな」

「そうだね」

私は少し笑った。

「本当についていなかった」

「この次ここに来たら絶対に見れるよ」

「うん、〝この次〟ね」

私はまた少し笑った。

この次か。いつ来れるのだろう。今度はついていればいいなあ。どうやって怪獣探しをやろうか。二十四時間監視はもう飽きた。やっぱり大型の高性能ソナーを用意したほうがいいかもしれない。この次は……。

午後十時、三十三日間、時間にして七百八十四時間の完全監視終了。（五月二日）

コンゴの〝熊五郎〟

出発の準備をする。こんなにせっせとザックにモノを詰めたり、コッヘルを揃《そろ》えたりするなんてえらく久し振りで、気持ちがよい。長い滞在でよどんでいた心身がキリキリと引き締っていくのを感じた。

帰るというより出発と考えたい。

ボア村の人間とわれわれは、出発以来あまりいい関係ではないのは周知の事実で、「隊VS村」という構図では未だに全く気を許せない状況なのだが、個人個人、特に日本人メンバーと各ガイド、ポーターとの間ではなかなか楽しくやっている。元来、お互いに陽気で明るいのだけが取柄なので気が合うのだ。

荷物整理が意外にあっさりと片づいていたので（それほどモノが少なくなっているとい

うことだ）、たき火のそばで車座になって休んでいると、ペレという男がやってきた。

ペレは村一番のひょうきん者で、たとえ言葉が何もわからなくても表情や仕草だけで笑えるくらい面白い奴だ。なぜか湖に着く前から戸部と意気投合しており、彼は戸部に〝モジェス〟という名を与えていた。彼のおじいさんの名であるという。戸部も喜び、以来、自ら〝モジェス戸部〟と名乗っていた。

さて、ペレは今日も戸部の横に腰を下ろし、

「村に帰ったらおまえにかわいい女をやる」

「メレシ《そりゃあり》・ミンギ《がとう》・オザリ《おまえは》・マラム《いいやつだ》」

とお決まりの会話で仲良くやっていたが、急に、

「おれも日本語のいい名前が欲しい」

とペレが言い出した。そこでわれわれも一緒になって考えたが、なかなかこれという名が見つからず、

「まあ、鬼瓦権三《おにがわらごんぞう》に似ているから〝ゴンゾウ〟っていうのはどうだ。どうせわかりゃしないし」

ということになった。が、当のペレが首を振っていやそうな顔をする。われわれの不真《ふま》面目《じめ》なネーミングがバレたのかと思ったがそうではなく、

「ンゴンドー（チンパンジー）みたいでいやだ」

とのことである。しかたないので、今度は真心をこめて〝熊五郎《くまごろう》〟と名付けた。

「それはどういう意味だ」

と聞くので、

「クマのように強い男という意味だ」

と大雑把に教えてやったが、よく理解できないようである。クマなどという動物を知らないのだ。それでも、近くにいたデデが、

「日本やアメリカには、クマというゴリラよりも大きくて強い動物がいるんだ」

と説明してやると、大いに気に入ったらしい。

「おまえの名はモジェス、おれの名はクマゴロウ」

二人は固い握手を交したのだった。


夕方、湖の西方に何か黒いものが見えるとポーターたちが騒ぐ。なるほど、黒い点がはるか彼方《かなた》に浮かんでいる。双眼鏡でのぞいてみた。黒いものはしばらくじっとしていたが、不意に目まぐるしく形を変え、空中に上昇した。

黒い水鳥が羽ばたいて舞い上がったのであった。

おそらく、これが最後の〝ムベンベ誤認事件〟となるであろう。

夜が更け、みなが寝仕度を始める頃、私と高橋はイサックを誘い、こっそり旧サブキャンプへ渡った。誰にも邪魔されずに、ムベンベにまつわる話が聞きたかったのだ。

彼は一時間くらい話をしてくれた。ドクターと仲が良いせいか、彼は驚くくらい合理的進歩的な考え方をするし、われわれの調査に理解を示してくれる。それはありがたいが、「今度は湖をもっと高性能の機材で調査すべきだ」なんて言われると、こっちとしては、「こら、ボアの人間がそんな物わかりよくちゃダメだ」と言いたくなったりする。

さんざん邪魔されたが、ボアには——あるいはテレ湖には——やはり酋長やじじいやヴィクトールといった古風な人間がよく似合う。

十時すぎ、そこら中に横たわった人が散らばっている仮キャンプに戻る。

月光がまばゆいテレ湖と最後の添い寝をした。(五月三日)

第六章

帰　還

さらば、ボア村のみんな

じじいとの別れ

チンパンジーでの食事

明方、早い時間から何回も目が覚めた。緊張していたのだろう。五時三十分に跳ね起きて、すぐに帰途の用意をする。テントを撤収、昨夜つくっておいたマニオックを食べ、荷物をパッキングする。昨日ペレが捕えた全長一mほどの大トカゲは手足を縛ってカゴの中に放り込む。余ったガソリン、石けん、ランプなどは、その場でポーターたちに放出してしまう。写真のフィルムとビデオテープは殊《こと》のほか重要だ。ビニールテープを張って補修した数少ないビニール袋に詰め、さらにガムテープでぐるぐる巻きにした。

ポーターへの荷物の振り分けに手間どる。明日の夜はドクターたちの先発隊と合流することになっているので、出発を遅らせるわけにはいかない。私はデデの〝官僚役人的細部固執文句〟にいちいち口答えし、わざと無責任な発言をしてしまう。お互いに気がせいてイライラしているのだ。

荷物を与えられたポーターたちは、勝手にどんどん出発してしまったので、われわれだけでもとテレ湖をバックに記念撮影を行う。

森山のカメラのシャッターが音をたてた次の瞬間には、荷物を背負ってわれわれは仮キャンプをとび出した。午前八時、湖に別れを惜しむ暇などまるでないまま帰路についた。


懸念していた〝ポトポト（泥の土地）〟は、行きに較べて水が全然少ない。泥に足を突っ込んでも膝上《ひざうえ》程度だ。荷物も行きよりずっと軽い。快調に進み、一時間半で突破。

ポトポトというのは、なぜか唐突に終わってしまう。あれほどのどろどろぐしゃぐしゃが最後のでかい水たまりで途切れ、突然、旧ボア村の固い土を踏むのだ。固い土とはこういうものかと思った。足の裏に快い衝撃を感じ、脊髄《せきずい》を伝わって脳まで「ビビッ」とくる。だいたい身体が揺れないですたすた歩けるなんて、おかしな話だ。

旧ボア村でポーターたちに追いついた。例によってまた〝じじい〟が意味もなく「ヒェッ、ヒーヒヒヒッ」と奇声を発している。じじいは私を見つけるとすかさず近寄ってきて、私のこめかみを両手で押さえ、何をするのかと思いきや、ゴンゴンゴンと続けざまに三発、思いっきり頭突きをしやがった。これは効いた。全く何を考えてるんだ、このじじいは。私が顔をしかめると、じじいもただでさえ歪《ゆが》んだ顔をさらに歪めた。少ししてようやくじじいが笑っているのだとわかった。私も笑った。

固い土地になってから、飛ばし始める。ここの人間の歩き方は、われわれとは反対だ。

荷物が少ない者はわりとマイペースで歩くが、重い荷をしょっている者の方がガーッと歩く、というより走る。で、次のキャンプまで行ってガーッと休む。疲れる時間を減らしたいという発想なのだろう、彼らしいやり方だ。

二時ごろ、森の奥の方で短く何かの吠え声がした。もうその瞬間、近くにいた熊五郎（ペレ）、じじいたちは反射的に荷物を下ろした。銃を持った男が先頭に立ち、そのあと槍を持ったメンバーが腰をかがめ密生したヤブの中へ続々と消えていく。そのときの素早さ、身のこなし、そして何よりもその顔が印象的だ。わけのわからんことを言って騒いだり、むやみにモノをねだってみたりしているいつもの顔とは、別人のようである。ドゥーブルと狩りに行ったとき見たのと同じ表情――全神経を獲物に集中させ、心は無の境地に達し、あるのは闘争本能だけだ。昔から森に生まれ森に育ち、森で死んできた民族の血を見る思いである。

〝男らしい〟とは、まさにこういうことを言うのだろう。

「田植えをやっている民族とはちがう」

と言う戸部にうなずいた。

どうも獲物はチンパンジーらしい。チンパンジーというから、われわれはてっきり、よく動物園やテレビで見るような、普通のサルよりちょっと大きめで人間の子供に似たやつを想像していたが、実物を見たときにはぶったまげた。でかいのだ。丸太に手足をくりつけ、屈強な男二人がやっとのことで運んできた。体長もさることながら、肉のつき方がすごい。筋肉が盛り上がり、イメージとしては〝大きいサル〟より〝小さめのゴリラ〟により近い。体重も七〇〜八〇kgはあろうか。こんなに大きいのは稀《まれ》なのか、別にここでは普通なのかわからない。

また、顔つきがいかにも獰猛《どうもう》そうなのにも驚いた。肉食獣の凄《すご》みが感じられる。

そうこうしているうち解体作業に入った。熊五郎が鮮やかにさばいていく。目の前のチンパンジーは思った以上にヒトによく似ているが、何よりも当の熊五郎とそっくりである。やはり〝権三〟の方が良かったのではないかと思ったが、その彼が例によって陽気に冗談を飛ばしながら、血しぶきを浴びて肉をぶった切っていく様子は、〝同類相打つ〟という感じで、滑稽《こっけい》なくらい凄惨《せいさん》だ。このとき私は、「ああ、人を殺して食うまであと一歩だな」と実感した。次の獲物がヒトであったら、抵抗なく食えるような気がした。

同じコンゴ・ザイールでも、ゴリラやチンパンジーは、「人に似ているから」ということで食べない地域が多いらしい。確かにボアの連中も獲物がとれると、「ほら、人にそっくりだろう」と言うが、そのあとに、「これがうまいんだ」と、付け加えて舌なめずりする。全然気にしていない。私も彼らの影響を受けているのだろうか。

毛皮の下から現れた肉は、素晴らしい赤身だった。柔らかそうだし、ステーキはレアで食べれば、さぞかしうまいだろう。ついに解体現場で生唾《なまつば》が湧《わ》いてくるようになってしまった。

三時ごろ、行きの二日目に泊まったキャンプで停滞。着いた当初はもちろんいなかったのだが、十数分のうちにどこからともなく大量のミツバチが集まってきた。恐怖映画のようである。誰かれかまわず身体にたかる。金子の背中などには三〇匹ほども群がっている。彼にそう教えてやると、

「おまえだって同じだよ」

と言われてしまった。

夕食はもちろんチンパンジーである。塩が足りないので、わずかに余ったこしょうやビーフスープの素、それに〝ピリピリ〟という名のコンゴ製とうがらしをぶちこんで煮込む。見た目はさぞかし柔らかくてうまかろうと思った赤身肉だが、煮ると固い。ひと口賞味して驚いた。ゴリラ肉そっくりの味なのだ。では、ゴリラ肉はどういう味かというと、チンパンジー肉そっくりとしか言いようがなく、両者とも全く形容しがたい味である。強いて言えば、「焼きすぎて固くなった牛肉かクジラ肉の味があまりしないやつ」とでもなろうか。肉に黒色の長い毛がたくさんからみついており、絶えず口の中に指を突っこみそれを引っぱり出しながら、夕食を済ませた。

ココアを楽しんで眠る。運が良ければ明日は村だ。

〝探検〟の終わり

四時起床、五時出発。真っ暗なジャングルをライトで照らしながら進む。誰も口をきかず、ガサガサと手で繁《しげ》った枝葉をかきわける音、パキパキと小枝を踏みしだく音、それにザックやカゴの荷物が揺れる音がカタッ、コトッ、シュッシュッ、と森の静寂に浸《し》み透る。

夜が明けると、突然ペースが速くなった。昨日から右足の痛みがだんだん激しくなるが、我慢して進むしかない。六時、湖と村との〝中間地点〟と呼ばれるところに到着、二時間半歩き続けて休憩。足がひきちぎれそうである。他のメンバーもかなり疲れている。

考えてみれば、湖での滞在中はほとんど歩くことなどなかったのだ。移動、調査活動ともほとんどがボートかカヌーの水上交通なので、使うのは専ら腕をはじめとする上半身である。それが突然、錆《さ》びついた関節にずきずきくる堅い地面をこのペースでダッシュするのだから、当然といえば当然である。

三十分休んで再出発、ひたすら歩く。いろいろなことが頭に浮かんでは消えていく。が、不思議なことに日本へ帰るという実感だけが浮かんでこない。あまりにも遠すぎるのだ。こうしてジャングルの中を動物の声を聞き、ボアの人たちの汗が黒く光る背中や長い槍を見ながら歩いていると、その一方で、電車に乗り損って遅刻したり、都内の騒々しい飲屋で酒をあおったり、こたつにすっぽり潜ってみかんを食っているような世界が同時進行しているとはとても思えなくなる。私もかつてはそのような世界に属していたはずだが、もうそれは「前世の記憶」くらいに遠く淡い……。

そんなことを考えているうちに現在の行動もにわかに現実感を失い、あとは夢心地でただひたすら歩く。メンバーの姿がどんどん見えなくなる。屈強で知られる戸部、〝怪物〟野々山さんすらいつの間にかいなくなった。ついに、先頭グループは私とデデだけになってしまった。私の足も限界に近く、木の根をまたぐときは手でズボンを引っ張らないと足が上がらない。が、止まったら動けなくなりそうで、しかたなく足を動かし続ける。

行程が進むにつれ、だんだん気になってくることがあった。今日、われわれと合流するはずのドクター、向井たちの姿が見えないのだ。連中は案外早く歩いているのだろうか。どこかのキャンプだろうか、樹々が少し開け広場になっているところがあった。その真ん中にぽつんと細長い木の枝がつき立てられている。枝の先端が二つに割られていて、そこに白い紙らしきものがはさまっている。誰もいない森でひっそりと人の到着を待っている一本の枝と白い紙。

私は思わず、昔の物語に出てくる「神のお告げ」というやつを思い出し、ゾクッとした。急いで近づいてみると、それはドクターから私へあてた手紙だった。

「タムラの具合が大変悪い。これ以上森に滞《とど》まることは危険なので、先に行く」

と短くなぐり書きされている。

顔が引きつりそうであった。私は田村に、温存していたマラリア治療薬ラリアムを渡し忘れていたのだ。村に着いたとき、彼にもしものことがあったら、どうしようかと思った。しかし、本当に重体ならもう歩けないはずだから、まだ大丈夫なのだろうと自分に言いきかせ、またすぐに歩き出した。

十一時五十九分、五時間半ぶっ続けで歩き続けたわれわれは、ボア村の入り口にたどり着いた。大健闘のデデは疲労困憊《こんぱい》し、引っくり返ったまま動けない。私は、湖の生活でたまっていたうっぷんを一気に燃焼し、最高の充実感を味わっていた。私は倒木に寄りかかり、青い空を見ながらポリタンクに残っていた最後の水を飲んだ。

ここで私は自分の〝探検〟が終わったのを静かに感じていた。

パラダイス・ボア村

ボア村には、「湖へ行った者は全員揃《そろ》って村に戻らなければいけない」という奇妙な掟《おきて》がある。その掟に従い村の入り口で他の人間を待った。しばらくして高橋、船越が到着、ポーターも続々と集まってくるが、一時間半待っても他のメンバーはいっこうに現れる気配がない。しかたないので、彼らは見捨てて、一足先に村に入った。

四十日ぶりのボア村は素晴らしかった。この広さ、明るさ、穏やかさは何だろう。出かけるときには、つまらないちっぽけな村だと思っていたのに……。出発時と同じように、子供たちが歓声をあげ、ヤギや犬が走り回る。ヤシの葉でふいた屋根の向こうに見える川では、女の人たちが洗濯物や子供をじゃぶじゃぶ洗い、もっと先には平原、森、青い空に白い雲。乾いた地面は白く、太陽が容赦なく熱い。別世界、パラダイス……。

「タカノ！　タカノ！」

出迎えに来たドクターが嬉《うれ》しそうに叫ぶ。

「ドクター、ありがとう！」

私と彼は熱い握手を交した。向井、ジャン＝クロード、田村もいる。みんな輝くように爽《さわ》やかな顔をしていた。心の底から光がさしているようである。「村と同じ顔だ」と思った。

人間が生きている、生とか命とかいう大げさなものではなく単純に人がわやわやといて、これといって目的もなくそれでいて楽しそうに暮らしている風景を、私は初めて見たような気がした。

酋長《ンダミ》はいなかったが、スポークスマンじいさんとヴィクトールがやって来て簡単な入村式を行い、それからわれわれの宿舎（ボベという長老の家）の前まで行った。

ザックを投げ出し腰を下ろすと、田村が、

「ポンプルムース（グレープフルーツ）食べませんか」

と言って、バケツいっぱいのフルーツを持ってきてくれた。彼は元気そうで、安心した。それどころか、こんなに明るい田村の顔は日本でも見たことがない。

しだいに私は頭が空白になり、今まで何をしてきたのか、これから何をするのか、さっぱりわからなくなった。村全体が、陽炎《かげろう》にゆらめき、村人の喚声がこだまする。とにかく、腰を下ろし脈絡のないままポンプルムースを食べ、パパイヤを食べ、水を飲んだ。ひどい格好だが、急に何かするとどうかなってしまいそうで、しばらくそのままの状態でボーッとしていた。

そのうち、疲れ果てたメンバーたちが続々と到着、中でも戸部、高林さん、金子はボロボロだった。みな夢にまで見た甘い果実をガバガバ食いながら、喋《しゃべ》りまくる。誰も他人の話を聞いている奴《やつ》などおらず、自分の感想、感動を押しつけあっている。

私は田村の話だけ聞いていた。長い闘病生活で完全に体力を失っているうえ、帰路の途中から熱が再び三九℃近くまで上がり、意識もうろうだったという。後半は、足が動かず、一〇m歩くごとに木の根につまずき転ぶような有様だったが、最後まで頑張ったらしい。

「一晩寝たら、すっかり気分が良くなって」

と田村はニコニコした。私は、あのジャングルの置き手紙が本当の神託にならなくてよかったとしみじみ思った。

ひと休みしたあと、私はポーターの荷物を回収、ガイド、ポーター料の計算を行い、村人に薬を配ったり、というように雑用に追いまくられ、すぐに現実に引き戻された。夕方近く、ようやく水浴びでき身体の汗と泥を落とし、村に置いてあったジーパンにはき替えた。

何か自分の家に帰ったような安堵感《あんどかん》があった。

孤立するドクター・アニャーニャ

われわれは、今回の遠征の最後の仕事として村の長老たちから徹底的にモケーレ・ムベンベに関する話を聞き出そうという計画を立てていた。

しかし、予期しない出来事でそれがぶち壊しになろうとしていた。

その日の夕方、水浴びから戻ってくると、あの酋長がいつものスタイルで槍を手にし、ひょこひょこ歩いてくる。一緒にいたドクターと話を始めたと思ったら、やがて激しく言い争い、突然来た方へ帰っていってしまった。また何か起きた模様である。

われわれが知らないうちにトラブルが発生、進展し、最後はこちらに火の粉が全面的にふりかかるといういつものシステムである。私はうんざりしてドクターに尋ねた。

「いったいどうなってるんですか」

「村長《プレジデント》が実権を失ったんだ」

彼は憮然《ぶぜん》として答えた。

やはりそうかと私は思った。われわれの遠征隊を村に引き入れたこと、そしてテレ湖での一件で私に押し切られ引き下がってしまったことなどで、村長に対する不満が酋長以下村人の間で高まっていた。それが帰りのポーター問題で爆発したらしい。帰りのポーターは二〇人を頼んだにもかかわらず、実際は二六人もやってきた。ポーターの人選は村の事務局長たる村長がいつも通りに行ったのだが、酋長はこれを許さず、親村長派六人を削り、親酋長派の六人と入れ替えてしまった。

しかし、村長、削られた親村長派六人ともこれを不服とし、結局二つのリストに選ばれた者が全員テレ湖に押しかけてしまったわけだ。この問題は当然、湖でもこじれたが、役人であるデデの判断で、コンゴ政府の代理人たる村長の決定に従うことになり、親酋長派のポーターは手ぶらで村へ戻るはめになった。もちろん賃金も支払われない。これで一気に村人（普通の村人は酋長至上主義なので）が爆発、村長派が孤立してしまったようである。

さて、そこで問題になるのは、〝到着の儀式〟だという。これは〝出発の儀式〟と対をなすもので、村にとっては非常に重要な儀式らしいのだが、酋長のうらみを買った村長は席をはずされることになった。それを聞いた政府メンバーの長であるドクターが怒り、

「それじゃおれたちも出ない」

と、われわれの分まで含めて儀式をボイコットしてしまった。それが今の言い争いの内容である。

月が出ていれば毎晩、村の広場では夜の踊りが催される。前から楽しみにしていたので、食後、さっそく広場へ出かけようとすると、いきなりドクターらコンゴ人メンバーに差し止められたばかりでなく、戒厳令が出た。

「(宿舎の)家の周りから決して離れるな。外は危険だ。また、村人を絶対に中に入れるな」

われわれは憤慨し、抗議したが、通らない。ドクターは眉間《みけん》にしわを寄せ、異常なくらいピリピリしている。しかたなく、この晩は早く休んだ。


翌日の早朝、男の野太い声で目が覚めた。何を言ってるのかわからないが、扇動するような口調で、ときどき「アニャーニャ、アニャーニャ」という言葉が聞える。村中に触れ廻っているらしく、声は遠くなったり近くなったりしながら三十分以上も続いた。

そういえば昨日の夜中にも数人の男たちが同じように騒ぎまわっていた。いったい何だろうか、と思っていると、ドクターが起きてきた。日本人だったら「顔色が悪い」と言いたいところだが、真っ黒なのでもちろんわからない。ただ、昨日以上に脅えの表情がはっきり浮かんでいる。私の顔を見ても「ボンジュール」さえ言わない。

「今、あの男が何と叫んでいたか知ってるか。『みんなアニャーニャたちが逃げるぞ、しっかり見張っていろ』とか『みんな起きろ、アニャーニャたちをどう始末するか、これから相談しよう』と騒いでいるんだ」

彼は、「奴ら、何するかわからん」とつけ加え、「本日も外出禁止、村人との接触も極力さけよ」とのたまわった。

とはいうものの、われわれのように好奇心に足が生えたような輩《やから》が「はーい」とおとなしく家でじっとしてるわけがない。高橋は、村の写真を撮っているとき、招かれてある家でヤシ酒と魚料理をちょっとばかり頂戴《ちょうだい》したのがドクターにバレた。

「おまえ、何てことをするんだ、毒が入っていたらどうするんだ」

コンゴ・ザイールでは、仲の悪い人間や見知らぬ他人に毒を盛るという話がいくらでもあるが、このインテリの彼が本気で心配しているとは恐れ入ってしまう。

彼の警戒度はますます高まる。開いている窓から村人の顔が覗《のぞ》いたと言っては窓の扉をしめ、薬をもらいに来る病人あるいは仮病人を追い払う。しまいに、顔に似合わず子供好きの野々山さんが目のクリクリとしたとびきりかわいい村の子供たちに囲まれ幸せそうにしているところに現れ、「こら、よせ、危い」と怒鳴るのはちょっとどうかしている。

夜、シュラフにもぐりこもうとしていると突然扉が開き、良い身なりの男が現れた。エペナの村長だ。護衛に軍用ライフルを持った男が二人ついている。どうもドクターに呼ばれ、ボアを威圧しに来たらしい。すぐに出ていったが、ものものしい限りである。

美しい村が一転して、不穏な村に変貌《へんぼう》した。

長老・ボベの話

ボアに着いて三日目の朝、また、誰かが長々と大声で触れ廻っている。今日は〝タカノ〟という名も出た。さすがに気になるので、飯のとき、村長に直接、現在村がどういう状況にあるのか尋ねてみると、何と村長一派とドクターたちが結託し酋長以下主要な村人をエペナの公安《セキュリティ》に引き渡すのだという。

えらいことじゃないか。それでようやくドクターの過剰警戒がわかった。復讐《ふくしゅう》を恐れているのである。

ボアの連中も、入域料を強要しながら探査の邪魔をする、二度にわたって食糧を横取りする（二度目は何と親切なイサックと熊五郎が主犯であることが判明した）など、さんざんえげつないことをしているので、どっちもどっちなのだが、とにかくこのような状況ではモケーレ・ムベンベに関する聞き取り調査を行うどころではない。

ただ、われわれが泊めてもらっている家の老人ボベにだけは、こっそり話をしてもらえることになった。彼は身体はがっしりとしているが、もう歩くのもようやっとという村一番の長老である。彼が村の昔の出来事に最も詳しいことは誰も認めている。

ところがまた手違いがあり、村を出発する前夜にローソクの光の下でしみじみとご老人の話を聞く予定が、出発当日の朝に取り急いで行われることになってしまった。

がっくりする私に、明日出発できることが決まって嬉しくてしかたなく、またボベのインタビューに全く関心のないドクターが気軽に言う。

「C'est la vie（それが人生ってもんさ）」


出発当日の早朝。ボベの家の中へ入るとひんやりした。ガラーンとして何もない部屋だ。目立つものは、魚とり用の網、湖へ出発の儀式で使用されたタムタム、そして隅にひっそりとたてかけてある普通より柄が短い古めかしい槍だけである。閉じられた出入口や窓の隙間《すきま》から朝の明るい陽光が二すじ三すじと差し込んでいるだけで薄暗い。外では出発の準備でメンバーが忙しく動き回り、見物の村人たちも加わりたいへんな喧騒《けんそう》である。しかし、戸を閉め切ってしまうと、遠い波のざわめきくらいにしか聞えない。

木のテーブルが臨時に運び込まれ、私は老人の向かいに腰を下ろした。老人の横にヴィクトール、私の横にデデが座った。

ボベはリンガラ語が片言しかわからない。それでまずヴィクトールが彼のボミタバ語をリンガラ語に訳しデデに伝え、デデがさらにそれをフランス語に訳してやっと私に届くというなかなか手間のかかるインタビューである。

私は子供の頃やった「伝言ゲーム」を思い出し不安になった。例えば「ボアとピグミーの男たちがムベンベを殺した」というようなことが「ボアでピグミーの男たちがムベンベに殺された」などと変形してしまうのではないかと。しかし、私がボミタバ語をほんの少し、リンガラ語はかなりわかるので、まあ大丈夫であろう。

――モケーレ・ムベンベについて、初めから話してくれますか。

「うん、初めな。昔、湖は小さな小さな沼じゃった。そこにはピグミーが住んでいて、マニオックを植えたり、狩りをして暮らしておった。

ところがあるとき、ピグミーたちは植えてあるマニオックがどんどんなくなっていくのに気づいた。何かがマニオックを食べてしまうのじゃ。マニオック畑は掘り返され、荒らされ、とうとうマニオックを植えるところがなくなってしまった。ピグミーはしかたなく森を切り開き新しく畑を作った。しかし、それもしばらくすると、やはり掘り返されてしまう。ピグミーはまた新しく畑をつくる。また、その動物が荒らす。それを繰り返していくうちに、動物は沼の岸辺を少しずつ削って広げ、やがて今のような大きな湖になってしもうた。これがテレ湖の起こりじゃ」

――それはいつ頃のことですか。

「わしが生まれるずっと前、わしのおじいさんが子供の頃じゃ」

——なるほど。それではピグミー村全滅事件について、話して下さい。

「うむ、そのように動物が畑を荒らすので、ピグミーは、それを退治しようと考えた。彼らはウメ（入り江№８）の河口に柵《さく》を四つ作った。ある日、そこへ一匹の小さい動物（ムベンベのこと）がやってきた。一つめの柵は楽々と越えた。二つめの柵も乗り越えた。三つめの柵で動物は傷ついたが、それでも乗り越えることができた。そして、四つめの柵に差しかかったとき、待ち構えていたピグミーたちは、いっせいに槍を投げて襲い、そいつを殺したんじゃ。

ピグミーは、その頃、旧ボア村に属しておったもんで、動物が完全に死ぬと、その牙《きば》（歯）を旧ボアの酋長のところへ持っていった。自分たちの行ったことを伝えたわけじゃな。

ピグミーは動物の解体を始めたが、何とも不思議なことに、切っても切っても肉が生き返ってしまうんじゃ。それで彼らは生き返らないように、肉をほんとうに細かく細かく切り刻んだ。全部終わるまでにこの仕事はまる二日もかかった。

さて、彼らは肉を焼いたり煮たりして食べ、残った部分は燻製《くんせい》にしたが、ほどなくして、動物を殺した者もその肉を食した者も全員が死んでしまい、村は全滅してしまった。また、動物も、それ以後、どこかへ姿を消してしまった。これで話はおしまいじゃ」

——村が死に絶えてしまったのに、どうしてその話が伝わっているのですか。

「その頃、湖にはピグミーの村が三つあった。全滅したのは〝ボンバコ〟という村だけだ。他二つは、ディンギレ（入り江№6）にあるボトンゴとベンベネという村じゃ。ボトンゴはその後自然に滅びてしまったが、ベンベネのピグミーは、今もイタンガ村（ボアの隣村）に生きている」

ピグミー村全滅事件の詳しいいきさつは初めて知った。以前の探検隊は、この出来事を一九五九年、とか一九一〇年頃とかと報告しているが、今の話を聞いた限りでは、もっとずっと古く、ほとんど伝説に近い。

ここまで夢中で聞いていたが、もうすでに三十分を過ぎ、出発時間が刻々と迫っている。四人が入り乱れているとなかなか会話もはかどらない。とにかく、聞けるだけ聞こう。

——その後ムベンベはどうしてしまったんですか。

「知らん。ただ、ときどきカヌーが水中の大きなものに引っ掛かって動かなくなることがある。わし自身は経験ないが、わしの両親はディンギレの近くでそれに出会ったと言っておった。急にカヌーが止まり、いくら漕《こ》いでもうんともすんともいわなくなってしまった。しばらくすると、また突然動くようになったそうじゃ。ワニなどではないということだ」

——旧ボア村の頃、ムベンベは村人に目撃されていますか。

「わしは一度も見たことはない。見たという者もいるがな」

——ムベンベはどのような動物ですか。例えば、首やしっぽの長さとか……。

「知らん。誰も知る者はいない。それは遠くの方にぼやーっとしか見えないのじゃ」

——吠え声はどうですか。

「ゾウに少し似た声で、途切れ途切れに三十分以上続くこともある。こういう感じじゃ(実演、ウォオオオという低いうなり声)。

吠え声は森の中から聞えるような気がする」

——ムベンベは森の中に棲《す》んでいるんですか。

「知らん。森の中にか、水の中か、それとも他の川にいるのか、知っている者は誰もおらん」

いつの間にか窓や戸口が開かれ、好奇心に満ちた黒い顔が覗く。ずうずうしく中に入ってきて、勝手にインタビューに加わろうとする不遜《ふそん》な連中もいる。部屋の中は急に明るくなり、外の喧騒が雪崩《なだ》れこんでくる。

それにしても、ボベの証言は何と素朴で飾られていないことか。湖と怪獣について最も詳しいと言われる老人の話には、若い連中や探検家が言うような首の長いブロントサウルスも絶滅哺乳類カリコテリウムも出てこない。感じられるのは、未知のものに対する密林の民の敬虔《けいけん》な気持ちである。

見物人はますます増え、デデは「もう出発の時間だ」とせかす。私は急激に自分が現実の世界に引き戻され、またモケーレ・ムベンベが神話の彼方《かなた》に消えていくのを感じていた。質問を続ける。

――ムベンベは森の中で目撃されたことはありますか。

「よく知らんが、そういうことは聞いたことがない」

――何を食べて生きているんですか。

「知らん。誰も知る者はおらん」

――テレ湖のムベンベと川のムベンベとはどう違うのですか。

「わしは川の動物のことは知らん」

リミットの一時間が過ぎた。残念ながらいよいよ最後の質問だ。私は、ボベの直接発する言葉がほとんどわからないのだが、このインタビューで彼が一度も「テレ湖《ラック・テレ》」「モケーレ・ムベンベ」「エメラントゥカ」という言葉を用いていないのに気づいていた。

――あなたたちは、テレ湖のことを何と呼んでいますか。

「〝エアレ（ボミタバ語で〝湖〟の意）〟だ。テレ湖とはフランス人が勝手につけた名前じゃ。あるいは、〝エアレ・ラ・ビセー（われわれの湖）〟とも言う」

――じゃあ、ムベンベのことは？

「〝ニャマ（動物、獲物、肉の全てを意味する）〟か〝ニャマ・ナ・マイ（水の動物）〟という」

――エメラントゥカは？

「ああ、〝エメラントゥカ〟〝ニャマ・ナ・マイ〟、同じことだ」

私は思わず笑い出しそうになった。「みずうみ」と「水の動物」か。何て素敵な呼び名だろう。やられたな、という感じである。

ボベに「メレシ・ミンギ」を二回言い、握手して外へ出た。もっともっと聞きたいことがあって不満が残ったが、何となく晴れやかな気分でもあった。

みな荷物の準備も終わり待ちくたびれているみたいだ。エペナから迎えの船も到着している。この期に及んで遠征隊最初で最後の集合写真を急いで撮り、装備を船に運ぶ。

私はふと思い出し、ヴィクトールに例の〝隕石《いんせき》〟のことを尋ねた。彼は用意していた石を出してきたが、全く似ても似つかぬボロボロの砂岩だった。

「全然ちがうよ」とがっかりして言うと、「全然ちがうか」と彼も気落ちしてしまった。

私は急に彼がかわいそうになり、また二回も家庭料理を食わしてくれた恩を思い出し、また私は人並はずれてあきらめがいいので、すぐに忘れることにした。

「いいよいいよ、ありがとう」


船着場まで見送りに来てくれたのは、親切なボベ、陽気なエンビンギス、やさしいヴィクトール、それに〝じじい〟ことエドワールのたった四人、あとはたくさんの子供たちである。

「さっきまであれだけ『モノくれ』とつきまとっていた奴らはどうしたんだ」

と高林さんが苦笑する。

「結局、最後にいい人が本当にいい人っていうことなのかな」

「ボアも、憎たらしいと思ったけど、別れるとなると淋《さび》しいですね」

と森山があまり淋しそうでもない口調で淡々と言う。

「そうだな、おれだって、食糧をちょろまかされたけど、ペレ（熊五郎）が好きだしなあ」

と戸部。

「楽しかったよな、ムベンベは出なかったとはいえ」

怪獣をいつまでも思い続けているのは純情一直線の日雇い男・野々山さん。

「インプフォンドの揚げパンいくらだっけ」

「エペナでマラリアを治療できるとこあるのかなあ」

といつも他の人間と関心事がちがうのはもちろん船越と田村。

「ちょっとお、ガソリンのそばでタバコ吸わないで下さいよお！」

日本を出て三か月、全く衰えることを知らない向井のチェックがこの愁嘆場でビシビシ飛ぶ。

「タカノ、レッツゴー！」

甲高い声で叫ぶドクターは、ボアから三人もの若い女を便乗させご機嫌である。

何だ、これじゃ行きとたいしてノリが変わらないじゃないか、と私は思った。

「もう一回テレ湖へ行くか」

船が出る。惜しまずに手を振る、叫ぶ、騒ぐ、笑う。

川の水は赤く、風は涼しく、われわれは限りなく陽気であった。

エピローグ

テレ湖に夕日が沈む

CDP遠征隊解散

実を言えば、まだ話は終わっていない。〝アフター・テレ湖〟、それもちょっとした難儀であった。

エペナ、インプフォンドを経て首都ブラザヴィルに向かう道中、われわれが受けた最大のカルチャーショックは、「金を出せばいくらでも食べ物が手に入る」という単純な事実であった。

たまりにたまっていた欲求が爆発し、われわれは食って食って食いまくった。腹一杯になっても食欲は全く収まらない。今ある食べ物もいつなくなるかわからないという一種の強迫観念も手伝っていた。やがて、襲ってきたのは、胃痛と腹痛と下痢と便秘が強烈に混ざったようなものだった。メンバーはバタバタと倒れ、寝床に転がりうめき続ける。極度の食い過ぎである。

野々山さんなどは、

「胃液が出るほど吐いたのに、十二時間前に食べたものが原形をとどめていたよ」

と苦しげに自慢していた。消化不良の最たるものだ。

体調が少し回復するとまた食いまくる。「身体がボロボロになってもいいから食いたい！」と私はわめいた。

兵糧《ひょうろう》攻《ぜ》めで飢えた敵の兵に、降伏後好きなだけ飯を食わせたあげく、食い過ぎで死なせてしまうという秀吉の「干し殺し戦術」を地でいっていることはよくわかっていたが、心身の自動制御装置が完全にいかれてしまったらしく、どうにも止まらない。食道の手前で食べ物が詰まり、胃腸薬がどうしても飲めないこともあった。

われわれはこれを〝アフリカ食いたい病〟と名付け、恐れおののきつつも食いに食い続けた。ちなみに〝食いたい病〟の症状が最も軽かったのは、隊の長老・高林さんで、彼曰《いわ》く、

「この年になれば、理性が欲望にブレーキをかけられるんだ」

亀の甲より年の功というべきか。

この病気はアフリカを出るまで治らず、たいへん苦しい思いをした。「食べる」ことはなかなか難しいことなのだと未《いま》だに思っている。

〝食いたい病〟とともに〝ウミ病〟にも長らく悩まされた。カサブタができてもハエがたかり、またすぐ傷口が破れる。木陰でそれぞれ静かに読書でもしながら、みんな手や足から赤や黄のウミをたらたら流している異様な光景がよく見られた。

その後、いつの間にか治ったが痕《あと》はくっきりと残った。身体中のこの痕が今ではテレ湖の思い出だ。

病気と言えば、本物の病人・田村はエペナ、インプフォンドの犬小屋のような診療所で点滴によるキニーネ投与を三日間にわたって受け、めでたく完治した。彼の暗く長い日々はようやく終わった。何事にも終わりがあるようだ。

さて首都に戻れば、コンゴ側が映像に関する権利問題で何とも理屈にあわない言いがかりをつけてきて紛糾した。下手《へた》をすると、ビデオテープとフィルムを全て没収されかねない状況だったが、こちらが少なくない金を支払うこと、森林省がわれわれのビデオをダビングすることで結着がついた。

ダビングした遠征隊のビデオは、コンゴの国営テレビ放送で放映するという。どんな番組になるのか、是非見てみたいものだ。日本人のわけのわからん行動に苦しみながらも、ドクター以下勇敢なコンゴ人メンバーが我慢強く調査に励むという番組になるのかもしれない。それもまたある意味で真実なのだから別にいいけど。

ブラザヴィルの天理教会には探検部の日本留守番部隊から手紙がたくさん届いていた。「頑張って絶対に怪獣を見つけてきて下さい」という文を読み、私は本当に胸が痛んだ。

「すまん、みんな、ダメだったんだ……」

二日後の5月18日、コンゴ入りから78日めにＣＤＰ遠征隊は正式に解散し、私と向井はパリへ、他のメンバーはキンシャサへ発った。

金子が意識不明に……

パリでは、カメラマンの鈴木さんと二か月ぶりに再会した。彼は自分で納得のいくピグミーの写真が撮れたようで至極満足そうであった。コンゴで金を使い果たして極貧状態にあるわれわれ三人は、花の都パリのとある病院の一室にこっそりと居候し、疲れた頭と身体と懐を休めた。

その頃、キンシャサ組も人それぞれ勝手なことをしていた。いきなりカヌーでザイール河の川下りを始めちまったメンバーもいれば、ケニアのナイロビの病院で死にかけているメンバーもいた。

金子が身体のだるさと悪寒を訴えたのは、ナイロビに着いた翌日のことだった。数日前森山がマラリアを発病していた。これは手当てが早かったおかげで大事には至らなかったのだが、医療係の金子は彼の面倒を全面的に見ていたというから、多少疲労していたのかもしれない。

たちまち熱が三九℃を越え、マラリアの様相を呈してきた。やがて病状は「ただ立ち上がるだけで気が遠くなる」（金子）ほど悪化、二日後やはりまだ身体が回復しきっていない森山とともに、最新医療設備を誇るナイロビ病院に入院した。ここなら大丈夫だろうと安心したのも束《つか》の間《ま》、その日の夕方には金子は意識不明に陥った。緊急に特別集中治療室に移される。

このときあれほどうじゃうじゃいたメンバーは散り散りになっており、看病しているのは戸部一人という淋《さび》しさである。

入院から二日後、自分の病気が良くなり、初めて集中治療室を訪れた森山は、金子を見て愕然《がくぜん》とした。点滴の長い管が三本、枕元には心電図が弱々しい波を打つ。ベッドに横たわった金子の顔は、黄疸《おうだん》症状で「学生食堂のカレーと同じくらい黄色かった」。

また、その後ナイロビに到着し、病院にかけつけた高林さんは、

「もう肌がつっ張っており、まさに死相が浮かんでいた」

と言う。

一緒に傍らでつき添っている日本大使館付医務官、林先生が語るには「熱帯熱の脳性マラリア」。最も危険といわれる熱帯熱マラリアに加え、そのマラリア原虫が脳にまで達して血管に詰まり、血管が破裂するという最悪最低のマラリアである。刺激を与えなさいという林先生の指示で、森山たちが声をかけたり揺さぶったりするが反応がない。

意識がなくなって四日目、

「助かる見込みは五分五分、たとえ治っても記憶喪失か、精神障害が残る可能性が高い」

と林先生が沈うつな表情で森山たちに告げる。

最後の大量輸血に備え供給者を集めている矢先、突然、金子が目を開けた。そして、そばにいた高林さんに気づき、なぜか、

「あ、野々山さん」

とひと言つぶやいた。喜びかけた一同はこのひと言に凍りついた。

「やっぱり脳がやられてしまった」

と思ったのである。

が、これはまだ意識がしっかり戻っていなかったためで、二日もすると、まともなことを言うようになり関係者をホッとさせた。急性のマラリアは死ななければ回復は早い。その四日後に完治して退院してしまった。わずか十日あまりの悲喜劇だった。

それにしても危いところだった。ナイロビだから良かったものの、テレ湖滞在中であれば一瞬にしてあの世行きであったろう。田村といい、金子といい一一人もの人間があんなところに一か月以上暮らすこと自体、大変なリスクを負っているということが、今さらのようにわかった次第である。

まあ、とにかく、われわれのコンゴ探検物語はこの番外の事件をもって幕を閉じた。

帰国後のＣＤＰ隊メンバー

田村は帰国後、精密検査で肝臓の機能がおかしいことがわかり、非A非B型肝炎の疑いがあったが、しばらくの静養でそれも良くなった。今では表情も明るく、目標のニホンオオカミ調査にさっそく取り組んでいる。

高橋は、アメリカへ渡りロッククライミングの武者修業に出かけた。この前、カリフォルニアのヨセミテ渓谷から手紙が来て、

「何人もの世界的に有名なクライマーたちにつき合ってもらい、岩登りに明けくれている」

と嬉《うれ》しそうに書かれてあった。帰国は未定だが、〝明日のことを考えない〟彼の性格からして寒くなったらメキシコかキューバを経て南米へ突入してしまいそうな気がする。

「洞窟《どうくつ》から足を洗い、数学の大学院入学のための受験勉強に専念する」と宣言していた村上は、九州で新しい洞窟が発見されたという報を受け、後輩たちをひき連れて調査を始めることになってしまった。彼曰く、

「いやあ、ま、いいんじゃないの」

野々山さんは、もちろん〝ホントウの日雇い〟に戻った。最近、鉄材を足の上におとし

て親指を骨折してしまったが、ギブスをはめたまま仕事を続けている。金をためてカナダに渡りサバイバル・スクールに〝留学〟するという。

「次のコンゴ行きはその後だから五年後くらいになるかな。おれには別に将来なんかないからよお」

と豪快に笑った。

もう一人の異色社会人、高林さんは調理士の免許をもっているとのことで、コックになってしまった。もとより長々と腰を落ち着ける気はないらしく、

「今度コンゴへ行くときはまた声かけてよ」

と新宿へ飲みにでも行くような調子で言った。

金子はすっかり体調が元に戻ったようである。

「たいへんだったなあ」

と言うと、

「そうらしいね。オレは眠ってただけだから、つらくも何ともなかったよ」

とケロッとしている。今度は現地人に化けてブータンに行きたいとのこと。現在四年生だがまだ当分卒業する気配がない。

向井は今年度（一九八八年）の探検部の新幹事長だが、帰国時には任期が半分過ぎていたので、今遅れを取り戻そうと、言うことをきかない後輩たちを叱咤《しった》しながら、山へ岩へ

と精を出している。

船越は、西表島《いりおもてじま》やら山やら行っているようだが、これから何をするのだろうか。私にはわからないし、だいいち本人がよくわかっていないようである。

森山は探検部とCDPの次期リーダーとして嘱望されているが、彼も今回の経験からこのプロジェクトの難しさを痛感しているらしく、誘導尋問をしても、なかなか「ぼくが第三次遠征隊をやります」と明言せず、慎重な構えを見せている。これ以上コンゴに関わっていると、先輩たちのように〝明日なき人生〟を歩くはめになると怖れているのかもしれない。

戸部に至ってはまだ帰ってきていない。コンゴにいるときから、「自分に納得できない」と繰り返していた彼は、隊の残金二〇万、森山から二〇万借り、日本での後始末を放棄し、ナイロビからアフリカ放浪の旅へ出てしまった。最近、手紙が来た。

「今、ダルエスサラーム（タンザニア）にいる。ケニヤでも一か月はまり、ここでも革命家の卵と同居し、またはまってしまった。これからマラウイに向かう。帰国は不明、アフリカでは先のことがわからないのだ」

こっちは後始末で大変だというのに何と勝手な奴《やつ》だ。全くうらやましいったらありゃしない。

私の分まで、アフリカをさまよって欲しいと思う。

私が帰国したのは六月のことだ。普通、外国から帰ったときは、誰でもかまわずに旅行の話をしたくてしかたないものだが、今回に限って友達や知り合いに会うのが億劫《おっくう》でならなかった。誰も彼もがニヤニヤしながら、

「怪獣（あるいは恐竜）見つかった？」

と私に聞いてくるのだ。

「いや、ダメだった」

と私が答えると、アッハッハッと大笑いしておしまいである。こういう反応は、まあしょうがないと言えばそうなのだが、私としては非常に腹立たしい。それで、

「でも、この次行けば見つかるかもしれない」

と強がりを言うが、たいてい軽く聞き流されてしまう。

モケーレ・ムベンベが見つかったのか見つからなかったのか、また、怪獣が実在するのかしないのか——そんな一言で答えられるほど簡単な問題ではないのだ、と私は声を大にして言いたい。しかし、「では、どういう問題なのか」というと、どうしても口ではうまく説明できず、結局、面倒くさくなりヘラヘラ笑ってごまかすことになる。これは後味が悪い。

これから私は何をしようかまだ決めていない。が、おそらく、アフリカとは末長くつき

われら探検を終えき

合っていくと思われる。そのなかで、もっともっと想像のつかない世界に入っていきたい。そして願わくば、劇的な——今の自分の世界観を変えるような——体験をしてみたいものだ。

今はその手段を模索しているところである。

あとがき

何事にも「理由」があると思う。

たとえば、ネッシーは今まで何百人もの人々によって目撃されているという。「そんなのいるわけないよ」というのは簡単だが、「いるわけない」のなら、なぜそのような現象が起きるのだろうか。

もし、特定の場所で何百人もの人々が声をそろえてウソをついているとすれば、それは古代の一生物が生き残っているのと同じくらい珍しい事であると言わねばならない。

モケーレ・ムベンベについて結論を出すのはまだ早い。しかし、われわれは怪獣実在の狂信者ではないので、あらゆる可能性から現実的にこの謎《なぞ》を解いていく必要がある。

テレ湖の怪獣はジャングルの一部族の伝統と深い結びつきがある。それを無視して、科学的な調査などを行って「いる」とか「いない」とか言っても、それは説得力に欠けるものだと思う。

ある一つの場には、世界の他のどこにも起こらない、そこだけにしかない過去、現在、未来があるはずだ。それを大切にしなければいけない。謎の怪獣の背後に特殊な「理由」が見え隠れするのだ。

その意味では、モケーレ・ムベンベとそれを取り巻く人々、湖、ジャングル、伝説に対するわれわれの興味は決してすり減ってはいない。

「なにげなく関心を抱《いだ》いた事柄が、いつの間にか内部で大きく膨れ上がり、手のつけられないほど大きくなってしまうことがある。そういう状態になったら、それはもう止まらない」

第一次遠征計画書に私はこう記した。今回の遠征で一つの終止符はうたれたが、いまだにその事柄は私の内部で膨らみつつある。

この本は本来、われわれ早稲田大学探検部コンゴ・ドラゴン・プロジェクトのメンバー全員で書くべきものである。しかし、みんなで分担して書いてまとめても、文集以上のものはできないと思い、メンバーを代表して私がこの物語を書くことになった。〝物語〟というのは、これがあくまでも私が見て、私が思ったことを私なりに表現したものだからだ。高橋には高橋の物語があり、野々山さんには野々山さんの物語があり、みんなそれぞれの物語があるはずだ。

最後に、この身勝手な私を（少なくとも表向きは）代表として立ててくれた仲間に、そして、われわれを楽しませたり苦しませたりしてくれた（やや苦しませることの方が多かったように思うが）アニャーニャ博士をはじめコンゴ人メンバーとボア村の人々に、深く感謝します。

　また、われわれを最初から最後まであたたかく見守り、バックアップしていただいた早大探検部顧問の奥島孝康教授に厚く御礼申し上げます。

一九八八年十二月

早稲田大学探検部
高野秀行

早稲田大学探検部コンゴ・ドラゴン・プロジェクト・メンバー一覧

高野秀行（たかの・ひでゆき）
アフリカで怪獣探検——それだけ聞くと派手派手しいが、実際は思ったよりずっと単調で地道なものだった。森の生活も単純明快であった。ただの旅人であれば「アフリカは親切で楽しいだけ」という感想で通りすぎるところだ。そこを一歩か二歩踏み込むと、ようやく暗い誘惑的な世界が少し見えてくる。さらに、三歩、四歩踏み込むと……もう出られなくなるのだろう。

高橋洋祐（たかはし・ようすけ）
ぼくたちは専門家であるわけでも、本格的な科学調査を行えるほどの資金や機材があったわけでもない。でも今回の自分たちの行動が今後、この地域で研究する人たちのさきがけとなればと思っている。また、できたら次回はそういう専門家の人を同行して再度チャレンジしてみたい。
PS：でも、今回はゲテモノ食いの王道を極められた気がする。（ミーティングにて）

金子拓哉（かねこ・たくや）
タムタムの音、森を走る村人、沈黙の夜、空腹、そしてテレ湖……。これらの記憶は、マラリアの原虫に蝕《むしば》まれた頭のなかに、幸運にも残された。ボア村の三人のガイドたち、ドゥーブル、イサック、そしてヴィクトール。彼らのことは忘れない。湖のほとりで一緒に暮らした一か月の間に、僕は多くのことを学んだ。恐竜は結局みつからなかったが、それはそれでいいと思う。生きて日本に帰れたのだから。

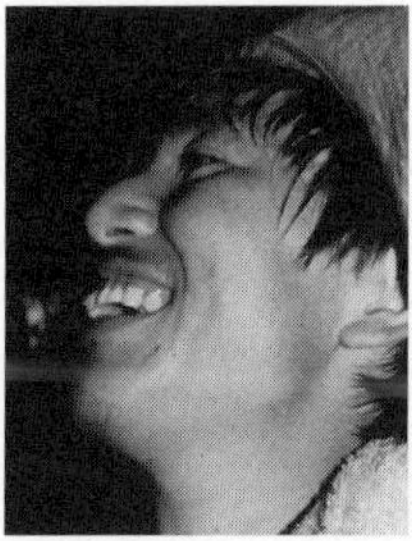

村上東志樹（むらかみ・としき）
私の今回の目的はとにかく怪獣を見つけるということにあった。怪獣を見つけていれば世界観が変わったかもしれない。私は絶対いないと思っていたのだが、まだいないと決まったわけではない。しかし、いわゆる超常現象というものにはけっこうウソが多いんではないかと以前より実感的に思うようになった。余談だがこの遠征中ずっと禁欲を続けたが（酒は飲んだ）、がまんできるものだなと思った。

向井徹（むかい・とおる）
「アフリカ」「ジャングル」「怪獣」とこれ程に魅力のある探検があろうか。我々が世界の常識を覆すかもしれなかったのだ。今回は不運にもムベンベが現れなかったという唯一の要因によって、「チャーターしたコンコルドで羽田へ到着、記者会見の後、首相と晩餐会《ばんさんかい》」という野望も打ち砕かれてしまった。しかし、チャンスは再びめぐってくるだろう。世界の常識が覆される時がやってくるかもしれない。

戸部大（とべ・はじめ）
個人的には面白い経験ができて楽しかったが、調査隊としては失敗だったような気がする。また、人数が多すぎたためか自分のアイデンティティが見出《みいだ》せなかったという意味で納得がいかない。しかし、夜中ナイトスコープを見ながら、「これでムベンベが現れたら、おれの世界観が変わるな」と胸をときめかせていたことは忘れないだろう。（ミーティングにて）

船越通暁（ふなこし・みちあき）
テレ湖の水深は二〜三mしかないという事実を知った時、「出現しないかもしれない」と思った。夢が現実になった瞬間とは嫌なものだ。ある種の失望が伴う。例えば、写真を見て綺麗だなと思う。だが実際にその場所に行ってみると、蚊がいる、蝿《はえ》がいる、蟻《あり》がいる、蜂《はち》がいる。夢を現実にする行動をこれからも続けていかなければならない。モケーレ・ムベンベは、夢の具現化したものだ。きっとそうだ。

森山憲一（もりやま・けんいち）
「アフリカの毒が一度体内に入ると、もうアフリカから抜け出すことはできない」と言われます。そして僕もその例にもれないようです。僕は暑いのは嫌いです。明るいほうではないし、騒ぐのも苦手です。しかし今になって、あのまとわりつくような暑さが、底抜けに陽気でメチャクチャな雰囲気がなつかしく思われます。きっと僕は再び、アフリカの「未知」を求めに、かの地へ戻っていくのだと思います。

田村修（たむら・おさむ）

テレ湖での三十余日が何であったか未だによくわからない。思えばマラリアが全てであった。従って私の記憶にはゴリラも大蛇もない。あるのはマラリアだ。しかしこれ故に他のメンバーとは異なった視点に立って今回の遠征を見つめることができたと思う。ここに意義があった。今ふと思うのだが、あの時私には「受難者」の意識はなかったように思う……。むしろその反対であった気さえするのである。

高林篤治（たかばやし・とくはる）

今、出会った人々の顔がよぎる。皆、心やさしく純であった。長年の夢であったコンゴのフィールドに立てたことは早大探検部と特に高野秀行君の卓越した語学力、交渉力のおかげと深く感謝している。数か月ではあったが若い部員との共同生活は楽しい日日だった。一つの旅は終わったけれどコンゴは勿論《もちろん》、ニューギニア、オーストラリアと〝地を這《は》う〟行動は続く。まだ始まったばかりだぜ。

野々山富雄（ののやま・とみお）

怪獣なんかいるわけないじゃないか。偵察衛星が地上をくまなく写しだす時代なんだぜ。そう誰かが言う。確かにそうだろう。謎《なぞ》の巨大生物なんて、現代に存在するわけがない。でも、ちょっと待った。本当に人から与えられた情報は正しいのかい。うのみにして、それだけで判断してもいいのかい。僕はそれをこの目で見、確かめるために、再びアフリカのジャングルに挑むだろう。

文庫版あとがき

コンゴ・テレ湖の探検から十四年が経過した。

最近、ある友人が「あの探検はコンゴという舞台とムベンベという怪獣とコンゴ隊のメンバーというどれも得難い要素がたまたま重なってできた、ある意味では奇跡的な出来事だったのではないか」と言っていた。多少おおげさではあるが、まんざら的はずれではないと思う。

というわけで、簡単ながらその各要素の「その後」についてお伝えしたい。

まずコンゴであるが、その後も着実に「退化」の道をたどった。国内に三台しかないジェット機のうち一機が墜落したのと傷んだ滑走路の修復がなされないため、カメラマンの鈴木邦弘氏が九二年に再びピグミーの写真を撮りに行ったときはインプフォンドにはセスナ機しか飛んでいなかったという。

一九九〇年コンゴ労働党が一党独裁制を放棄、翌九一年コンゴ共和国と改名された。隣のザイールもやはり独裁政権が打倒されて九七年コンゴ民主共和国となったため、「二つのコンゴ」になった。

その後、九三年コンゴ共和国は内戦に突入。大統領派、前大統領派、そしてもう一人有力な政治家の派閥が三つ巴《どもえ》の争いを展開した。新聞によれば、それらの武装勢力は「コブラ」「ニンジャ」など（もう一つは忘れた）を自称していたという。どんな武装勢力でもいちおうは「～民主戦線」とか「～解放同盟」とか称することを思えば、その荒唐無稽さはいかにもコンゴらしい。しかし、その能天気なネーミングとは裏腹に戦火は激しく、首都ブラザヴィルは一時期、廃墟と化したという。

テレ湖へは私たちのあとも毎年のように外国の探検隊が入っている。日本のテレビ局が若手俳優を連れていき、最後に丸太をワイヤーで引っ張って、「謎の物体を目撃！」というエンディングにした茶番組（？）はご覧になった方もあるかと思う。

イギリスの著名な博物学者にして紀行作家レドモンド・オハンロンもテレ湖へ行き、「コンゴ・ジャーニー」（未邦訳）という本を出版した。中には、私があげたボロボロの迷彩服を着たヴィクトールやアニャーニャ博士のカラー写真が掲載されており、たいへんなつかしかった。

内戦終結後、やはり外国の探検隊やメディアがテレ湖を訪問しているが、まだムベンベの発見はおろか目撃したという話も聞かない。また政情もひきつづき不安定だ。

ただ特記すべきは、われわれの遠征とほぼ同時期に（八八〜八九年）テレ湖からわずか数十キロ離れた土地で、人間がまったく入っていない動物の楽園が京都大学の研究者によって発見されたことだ。「ンドキの森」として世界的に知られるようになったその地域は、ゴリラやカモシカが人間を見ると逃げるどころか好奇心で近寄ってきたという。第二次大戦後、世界の動物生態学で五指に入る大発見といってもよく、テレ湖周辺がいかに未知の地であったかがわかる。

わがコンゴ隊のメンバーはその後どうなったか。

まず、副隊長を務めた高橋は本格的なロッククライマーになった。大学を六年で卒業後、大手水産会社に就職したが、仕事そっちのけで岩登りに明け暮れていたようだ。全盛期には日本の岩登り屋の間でも知られた存在であった。練習用の人工壁を作って販売するというベンチャービジネスを思いつき、「これは商売になりますかね？」と会社の上司に相談して呆れられたという逸話が伝わる。その後、会社を辞め現在、郷里の浜松で実家の会社を手伝っている。最近は故障が続きしばらく岩登りから遠ざかっているが、「いつかは南米ギアナ高地最高峰のロライマ山を登りに行くぞ！」と息巻いており、まったく懲りるということを知らない。

悩める数学者・村上はその後も悩んでいた。東北大大学院で修士号を取得した後、同大学大学院の博士課程へ進んだ。誰しも彼が研究者となるものと思っていたが、突然退学し、なんと自衛隊に入ってしまった。その経緯については詳しく語らないのだが、「軍隊生活にあこがれちゃってね」ということだ。以前はかなり左翼がかっていたのだが、何かの拍子に針が反対の方向にビューンと振れてしまったらしい。現在は一尉（ふつうの軍隊の大尉に相当）、朝霞駐屯地に勤務している。所属部署は「秘密性が高いため」明かせない。部下も多数いるようだが、人数はやはり「秘密」だとか。あのオープンな村上に「秘密」はなんとも似合わない。妻、長女、長男の四人家族。

隊の実務を担っていた両輪、向井と戸部はともにマスコミへ進んだ。

向井はＮＨＫへ就職、自ら希望して七年間北海道に勤務した。大学時代はやや細かすぎて小心者という印象があったが、いい意味ですっかりずうずうしい記者になった。北海道ではヒグマ、エゾシカなど野生動物をめぐる問題、遺伝子医療の最前線などにたずさわりつつ、市民活動で東欧、ロシアを訪問したり、真冬のモンゴルを取材した。

北海道時代の途中からスポーツも担当し、長野オリンピックのジャンプチームを取材する。その後、東京に戻り、本格的にスポーツ担当記者として華々しく活躍。Ｊリーグ、大相撲などを担当した。しかし、なんといっても印象深いのはサッカーのフランスＷ杯と日韓Ｗ杯である。試合やニュースを見ようとテレビをつけるたびに、学生時代より二〇㎏体重が増え、「陽気な親戚のおじさん」みたいな向井のニコニコ顔がテレビに大写しになったものだ。

一方、戸部は向井とは対照的に社会のディープな側面に迫っていた。七〇回におよぶヒッチハイクで一年間アフリカを放浪して帰国、五年で大学を卒業した彼は共同通信に就職した。最初は秋田と旭川でのんびりやっていた戸部の運命を変えたのは神戸支局への異動だった。おりしも阪神・淡路大震災の直後で、彼は神戸の悲惨な状況とその後の復興を余すところなく報道した。ようやく県庁担当から県警担当になったと思ったら、今度は「酒鬼薔薇事件」「宅見組長射殺事件」など戦後犯罪史に残るような大事件が次々と勃発、現場キャップとして取材にあたった。特に「酒鬼薔薇事件」では月の残業が最高三〇〇時間に及ぶ過酷な取材が続き、「あの事件ではオレたちも被害者だったよ」と語る。以後、科学畑に移ってから本領を発揮し、大阪では脳死臓器移植、東京に戻ってからは防災や環境問題を担当。昨年(二〇〇一年)、十二年ぶりに海外へ出た。モロッコ、アメリカ、イースター島など一か月かけて世界一周しながら環境問題を取材し、二〇〇二年もヨハネスブルグの世界環境サミット取材や(仕事か趣味かわからんが)キリマンジャロ登頂など充実した時間を過ごしている。本人曰く「ようやく自分のやりたいことができるようになった」。なお私生活では、昔は誰も想像すらできなかったことだが、今年四歳になる娘を溺愛している。

森山は「嘱望」されていたとおり、向井のあとを継いで探検部幹事長に就任。高橋ともう一人の後輩を伴って、アフリカ赤道直下の小国サン・トメ＝プリンシペに行った。森山たちは地上から垂直にそびえる高さ六〇〇メートルの異様な岩山「ピコ・カン・グランデ」に挑み、見事世界初登頂をなしとげた。以後、三年間、本人曰く「パチンコしてるか、寝ているかのどっちかしかなかった」という怠惰な学生生活を過ごしたあと七年生で卒業、登山の雑誌で知られる山と溪谷社に就職した。最初は電話での応対すらおぼつかず辛い時期を過ごしたが、仕事に慣れるとうってかわって仕事の虫と化した。「毎年、年間の残業時間が一千時間を超したけどいっこうに苦にならなかった」と語り、自ら「名編集者」を称するほどになった。一方、最近になり山登り熱が本格的に再燃、「探検部時代よりずっと難しい山を登っている」という。妻と長男がいる。

コンゴ遠征を直接延長したような人生を送っているのは、野々山さんと高林さんの社会人コンビだろう

野々山さんは帰国後、「ホントウの日雇い」に戻った。九〇年、東京農業大学探検部の中国長江源流域航行調査に参加したのち、環境NGO「緑のサヘル」のメンバーとして、世界最貧国の呼び声が高いアフリカ中部のチャドに渡り、二年間、砂漠化防止活動に尽力した。「三食・昼寝・自家用車・ガールフレンド付きの豪華な生活だったぜ」と吹聴しているが、実際はそうとう過酷な仕事で、一時はマラリアと肝炎を併発して死線をさまよったらしい。帰国後、アメリカ・ユタ州でサバイバルスクールに学んだり、TVのルポ番組

に出演してスリランカでゾウ使いの弟子になったりと活躍。さらに、レンジャー養成学校のサポートとして教えるなど人生の絶頂期を迎えたと思いきや、酒の飲み過ぎで同校をクビになる。そんな野々山さんの転機は九五年、屋久島で「緑のサヘル」の報告会を行ったことだった。現地が気に入った野々山さんはそのまま屋久島へ住み着いてしまった。山林を切り開き、自分で木を切って家を作った。「オレこそホントウの〈作家〉だ」と豪語するも二年間はランプの生活を送る。悲惨そうに聞えるが、本人は「楽しんでいた」と言う。その後、電気や水道も引き、同島で「ネイチャーガイド」という野々山さんには似合わない、かっこうのいい仕事に就いた。仕事のかたわら、かつてのNGOの関係でアフリカを回ったりもしている。四十歳になった今、結婚については「もう諦めた。どうでもいい」と宣言しているが、誰も信じてはいない。

高林さんは今年（二〇〇二年）で四十八歳。調理師として老人介護施設や病院に勤めて金を貯めては海外へ出るという生活を続けている。九二年にはコンゴに再入国しようとするが失敗。その後、南部アフリカのナミビアで野宿中、複数の強盗に袋叩きに遭ったりする。

最近は周辺国の内戦・治安の悪化で遠ざかっているが、あくまでムベンベの追跡をライフワークとしているという。といっても無闇に怪獣を探そうというのではなく、「現地でいつ頃から恐竜のイメージが植えつけられたのか」がテーマだという。一方、東南アジアの内戦やゲリラ活動にも興味を抱き、タイ、ラオス、カンボジアなどを頻繁に訪れている。「もともとボクは一般社会から逸脱したアナーキスト。家族なし、定職なしで気分はHOBO（放浪者）、何の不自由もないよ」とあっさり語るが、「少し淋しいし、ぬくもりが欲しいのは事実だけどね」と本音を漏らすこともある。

今回、この「文庫版あとがき」を書くにあたり、全メンバーにまず自ら「その後の略歴」を書いてもらい、それから私があらためて必要なことを聞くというスタイルをとった。

その中で「略歴」の域を大きく超え、「自分にとってコンゴ行きとは何だったか」を手記の形で綴ったメンバーが二人いる。なぜか、遠征中、いちばん何を考えているのかわからなかった二人、つまり船越と田村である。彼らの手記は私を感動させ、愕然とさせた。「コンゴ体験」をいちばん深く心に刻みつけているのが、ともに現在ふつうの会社員である二人というのも驚きであった。両方とも相当に長いので全部はとても書き写せないが、できるだけ文脈に忠実に要約して紹介したい。

「宇宙人」こと船越は卒業後、大手の旅行会社に就職した。バブル時期だったこともあり、「海外の仕事ができればラッキー」という程度だったが、実際には十二年間ひたすら国内旅行関係に従事してきた。しかし、船越は決してがっかりしていないという。彼は語る。

「『生活のための旅行』は『趣味としての旅行』とはずいぶんちがいます。しかし、こういった仕事の中にも『自分のため＝自分と関わってくれている人たちのため』という瞬間があり、学生時代には考えもしなかったことですが、『今、自分の前で汗をかいている人のため、いま自分ができることを即実行する』という気持ちで毎日の仕事に励んでいます。（中略）私以上に愛情を持ってやれる人がいるかという気持ちです」

これだけでも「あの船越が」という驚きでいっぱいだが、続きがある。彼らしく話が急に飛ぶ。ボア村の連中にムベンベの絵を描いてくれと頼んだとき、巨大草食恐竜そのもののような絵を見せられたことを彼は思い出す。当時の私たちはあれを「一種のサービス精神であり、探検隊がよく来るからそういった知識が彼らの中で積み重なって、ああいったものを書かせたのだろう」と判断したが、今の彼は別の考え方を持っているという。彼は次のように語る。

「文章では表現しきれないのですが、今となってはよくわかるのです。彼らがなぜあのようなものを見せたのか。（中略）私なりの結論を述べると、『あいつら　ほんっとに　きもちのいいやつら　だったよな』ということになります。（中略）そして今私が関わって仕事をしている人たちも『おまえら　ほんっとに　きもちのいいやつらだな』と思える人たちであり、ボア村の人たちも、今目の前にいる人たちも、私にとって全く同じです」。船越はさらにボア村の人々に「あいつらきっと元気にやってるんだろうな」と思いを馳せ、最後に「『私のその後』の説明になっていないかもしれませんが、私は今こういった気持ちで日々生きているということをお伝えしたかっただけです」と結んでいる。まったくもって依頼した「その後の略歴」になってないが、しかしこれ以上深い感想はないような気もする。

田村の手記については文字通り衝撃を受けた。断片的に聞いてはいたが、ここまで具体的かつ総括的に彼の心を考えたことはなかった（もしくは、無意識的に忘れようとした）からだ。

「私はテレ湖での滞在期間の大半がマラリアだったわけだが、その間、先輩たちから励ましの言葉ややさしい言葉を受けたことはほとんどない。『病は気から気から』という言葉は何度ともなく浴びせられたし、『マラリアなんてのは全く怖くない病気だ』などとも言われた。さらに『田村は線が細いからマラリアになったんだ』など本当に人間不信になる沢山の言葉を受けた。（中略）告発とか恨みとかで言ってるのでは決してない。高野さんや戸部さんには失望することはなかったし、森山は森山のままだと思っている。（中略）ただ、先輩や人間関係に対する絶望感、そしてその状況で考えたことが私にとっての『ムベンベを追え』の全てだと思うのだ」。

田村は絶望の中で「人間は本当に弱い存在なんだということ、だからこそ絶対的なものを求めようとするということ」を悟る。そして、自分にとって絶対的なものは何かを模索する。まず、この状況において誰が助けてくれるのか。それは両親である。両親なら全財産をなげうってでも自分を助けようとしてくれたことだろう。では、逆に自分が全てをなげうって庇《かば》おうとするのは何か。答えは自明のものだった。田村は次のように結論づける。

「絶対的なものがあるとすれば、それは仕事や夢といったものではなく、人間関係にあり、そのコアにあるのが家族なのだ。(中略)愛する人と結婚して子供ができ、幸せな家庭をつくるということは平凡だが、それはこのテレ湖には存在しない絶対的なものだと思った」

その結論どおり、彼は当時付き合っていた彼女と結婚し、子供をもうけた。しかし、田村がテレ湖で学んだのはネガティヴなものだけではない。人間というものに限界があると分かったからこそ、何事にも全力で臨もうと決意した。社会に出てどんな辛い経験でもテレ湖の経験に比べればその半分にも及ばないことを知った。最後に田村はこう書いている。

「(帰り道、テレ湖からボア村まで歩いたとき)四〇℃近い熱の中で肉体的にも限界に達し、十分歩くと意識が飛び、地面に顔が叩きつけられて意識が戻るという有様だった。倒れても誰も助けてくれない状況においては、自力で立ち上がって歩き続けるしかなかった。テレ湖から出発するとき、高野さんから『大丈夫か』と訊かれ、『やるっきゃないでしょう』と答えたのを思い出す。あの時の『やるっきゃない』は、以後何かを乗り越えようとするときの私の合言葉になっている」

田村がこんなギリギリの状態にあったことに、テレ湖滞在中はもちろん、帰国後も気づかなかったのは当時の私たち、とりわけリーダーである私があまりに鈍感であったからで言い訳のしようもない。ただ、強《し》いてもう一つの理由をあげるなら、それは彼が「ムベンベ以後」も探検部の中核となり、精力的な活動を続けていたからだろう。

それもニホンオオカミやヤマピカリャーといった「幻の動物」探しばかりである。特に、西表島《いりおもてじま》に生息するといわれる謎の巨大肉食獣ヤマピカリャー探査については、四回にわたり隊を率いて、緻密で我慢強い調査を行った。資料を読み込み、現地の人に聞き取り調査を行い、さらに密林の中を実際に捜索するという手法はコンゴ仕込みのものだ。謎の獣の正体を実在の動物と決めつけず、あくまでも「真実」を得ようとするクソマジメな姿勢も同様である。偶然か必然かわからないが、テレ湖でまったく活躍できなかった田村こそが紛れもなくコンゴ隊の直系の継承者になったのである。田村は今でも仕事と家庭の合間を縫っては資料を収集しており、文系・理系の両面から攻めるという意味では、ニホンオオカミとヤマピカリャー研究の第一人者といって差し支えないだろう。

さて。もう一人メンバーがいる。ナイロビでマラリアにかかって死にかけた金子だ。彼は大学を七年でようやく卒業し、写真関係の会社に就職したが、その会社が倒産してからは行方をくらましている。まったくの消息不明だが、都内でそれらしき人物を見かけたという目撃談はいくつかある。そのうち、「幻の元探検部員・金子拓哉を追え」というプロジェクトをみんなでやろうと思っている。

最後になったが、コンゴ遠征でいちばん運命が変わったのは誰かというと、この私である。正確にはこの本を出版したことによって、である。私はそれまで文章など学校の作文でしか書いたことがなかった。日記をつける習慣もない。だから、当然、本の書き方なんて皆目わからない。誰も教えてくれる人もいない。結局、「まあ、友だちに話すような感じでやってみるか」と思って書いたのが本書である。それが意外にも好評で、そのあともアマゾンやら中国やらビルマやら行くたびに執筆依頼が来て、いつの間にか日本でただ一人ともいえる「辺境専門のライター」となっていた。特に売れてはいないが、不思議と食えている。先行きはコンゴの将来と同じくらい不透明であるが……。

おしまいに、コンゴ遠征でお世話になったすべての方々にあらためて感謝いたします。そしてこの本の「ばかばかしい真剣味」とでもいうべき面白さを再発見してくださった集英社文庫編集部の山田裕樹編集長と担当の堀内倫子さんに御礼申し上げます。

高野秀行

二〇〇二年冬

SPECIAL THANKS

今回の遠征において、御協力いただいた団体、個人の方々に厚く御礼申し上げます。
（社名、肩書きは当時のものです）

大塚製薬株式会社
株式会社オーディオテクニカ
キヤノン株式会社
住友スリーエム株式会社
ソニー株式会社
大日本除虫菊株式会社
東京新聞（とりわけ、杉山邦夫科学部長、鍔山英次写真部長）
日本ベルボン精機工業株式会社
日立マクセル株式会社
富士写真光機株式会社
富士写真フイルム株式会社
本多電子株式会社
松下電器産業写真用品事業部
森永製菓株式会社
奥島孝康先生（早大探検部顧問）
岩崎雅典先輩（群像舎）
舎川武弘先輩（早大探検部ＯＢ）
竹内謙先輩（朝日新聞）
西木正明先輩
船戸与一先輩
惠谷治先輩（国際ジャーナリスト）
早大探検部ＯＢ会
篠之井公平氏
長井健司氏
フレックス・インターナショナル
天理教海外伝道部・浜田道仁御夫妻及び元ブラザヴィル支所の皆様
三井物産キンシャサの篠崎敏明さん
帝国石油の中川裕さん
（株）学習研究社「ムー」編集部
在ザイール日本大使館
在ケニア日本大使館
M. ERIC SANDRIN
Mlle. SYLVI MUGNIER
M. WILLIAM MUNENE SAIDI
古市剛史氏（京都大学理学部人類進化論研究室）
南山宏氏
小畠郁夫先生（国立科学博物館）
長谷川善和先生（横浜国立大学）

解説

宮部みゆき

こういうページに、解説子がのっけから自分の履歴を書くのも妙なのですが、話を進める段取りに必要なので、お許しくださいね。

昨今の作家としては珍しく、わたしは高卒です。それはつまり、大学生活というものをまったく体験していないということですね。

辛い辛い受験勉強や浪人生活を経験しないで済んだなんて、いいなぁ――と、おっしゃる向きもあるでしょう。ホント、勉強嫌いのわたしにとっては幸せでした。でも、そこで楽しちゃったせいで、後年の人生に、大きな謎を抱えることになってしまいました。

その謎とは。

大学の「同好会」とか「サークル」って、実体としてはどんなものなの？　具体的にはどんなことしてるの？

そこではみんな、すごく素敵な体験したんでしょう？　だって、そうでなかったらどうして、卒業して何年も何十年も経ってからもサークルつながりの仲間を大事にしていたり、当時の想い出を楽しそうに語ったりすることができるんです？

大学の「同好会」「サークル」には、中学や高校のクラブ活動とは全然違った、何かこう運命共同体みたいな響きがある。そこで共有した時間こそが、我々の「青春」そのものだった——そんな煌《きら》めきがある。

それってすごく羨ましいじゃないか——と、ずうっと思っていたんです。

出版社には大卒の人ばっかりがひしめいていますので、わたしがそういう思いをぶつけますと、みんな口を揃えて、

「それほどたいしたもんじゃないですよ」

「僕、サークルでは麻雀ばっかりやってましたねえ」

「そういえば、ほとんど同好会の部室で寝起きしてましたけど、活動らしい活動って何もやらなかったですよ」

なんて言うのですが、その顔がまた楽しそうなのよね。いったい何がそれほど楽しかったわけ？

要するに、体験していない者には、永遠に解けない謎なんだな、これは。フン、なんて思っていたのですよ。

さて、本書の親本がPHP出版社から上梓されたのは、一九八九年一月のことです。この年というのは、また履歴になりますが、わたくしが最初の単行本を出してもらった年で、

いわば正式な作家デビューの年、出版界の隅っちょに入れてもらった年にあたります。それまでお名前と著作だけを知っていた多くの先輩作家の輪のなかに、後輩作家として加わったわけで、いろんな集まりで大勢の先達にお会いしては、目が回るような思いを重ねていたころです。

で、当時、冒険小説作家の集まっているところにお邪魔すると、あちらでもこちらでも、チラチラと耳に入る言葉がありました。

〝ワセダのタンケンブ〟

これも「サークル」だ「同好会」だということはわかりました。わたしの謎の源泉だ。早稲田大学のタンケンブ。でもタンケン？　短剣の蒐集をするわけじゃないよね。やっぱりこれは「探検」なのでしょうよ。大学生が集まって探検に行くの？　どこへ？今も昔も地理に弱く、めぼしい海外旅行体験さえないわたしには、「探検」というと富士の樹海ぐらいしか思い当たりませんでした。それだって充分タイヘンそうにも思えたし。そんな折に、図書館の書架で、本書と出会ったのですよ。おお、ここに早稲田大学探検部の人たちが書いた本があるではないか！　これを読めば、積年の謎の一端を解くことができるかもしれないぞ！

勇んで借り出し、読みました。夢中で読んで、読み終えて、で、結論。

この人たち、めちゃめちゃだ！

もちろんこの〝めちゃめちゃ〟には、ものすごくタフな奴らだという尊敬の念と、大学のサークルとか同好会って、ここまでやるのかいという唖然呆然《あぜんぼうぜん》の意味が、二重に込められていたのですけれどもね。

普通、行かないぞ。コンゴまで。だいたいコンゴってどこにあるんですか？

本書を読んでいただければ一目瞭然ですが、目的地にたどり着くまでの苦労がまず半端じゃない。それだけで充分に冒険的ですよ。数え切れない障害を乗り越えて、しかし彼らは出かけていった。

何をしに？

幻の怪獣を探しに。

もう一度言います。普通、行かないぞ。

だけど彼らが行ってくれたおかげで、本書は誕生しました。今わたしたちは、コタツにあたってミカンを食べながら、ネス湖のネッシーと並ぶ未確認巨大生物の大スター、モケーレ・ムベンベを追い求める冒険行を、追体験することができるのです。

近年でこそ「UMA《ユーマ》」という言葉が定着しましたが、昔はこれらの未確認巨大生物のことを、「大海《おお》へビ」だとか「怪獣」だとか、バラバラな呼び方をしていたものです。正体が判明しないからこそ〝未確認〟なのに、蛇だとか恐竜の生き残りだとか勝手に決めつけて、でもそのいかがわしさがまた魅力。そしてそれらの目撃譚は、いつだって学習雑誌やマンガ誌の大トピック、子供たちの心を躍らせる話題であったのです。

かつてはわたしも間違いなく、そういう子供たちの一人でありました。世界のどこかに、こんな生き物たちが未だ隠れ棲んでいる——そう思うだけでワクワクしたものです。学習机の前に張り出した世界地図に、「ここがネス湖」「ここがオカナガン湖（オゴポゴのいるところ）」「この山脈のどこかにビッグフット」、我が国には「ツチノコ」なんて、ちまちまと印をつけて書き込んだりしていたんです（ついでに「バーミューダ・トライアングル」まで、ちゃんと定規を使って三角形に描いちゃってね。大人になって、もしもお金持ちになって、もしかして豪華客船に乗ることがあっても、ココは絶対に通っちゃダメなんて、かたく決心したものでした。それについては完全にバカでした、はい）。

みんな子供のころの想い出？　いえいえ、とんでもない。わたしは今でも、いつの日か世界中に、幼いころから慣れ親しんだＵＭＡたちの発見報道が駆けめぐることを待ち望んでいます。

だからこそ、知恵と体力を振り絞り、自分たちの目で事実を確かめようと、テレ湖までムベンベを追いかけていった探検部のメンバーに、心から敬意を表します。

親本が上梓されてから十数年、テレ湖の状況も、かなり変わっていることでしょう。あるいは、探検部のメンバーが旅したころにはまだかろうじて生息していたムベンベも、今では絶滅してしまった——かもしれません。

でも、それを確かめるためには、やっぱりまだまだ探し続けなければならないのです。自分の足で現地を踏みしめ、自分の瞳で現地を見つめ、自分の手で現地を調べ、計り、話を聞き回り、伝承や記録を調べてみたい。そうせずにはいられない。聞きかじっただけの知識では満足できない。社会を発展させてきたのは、常にそういうエネルギーを持ち、探検する場所を探し求めてきた人びとでした。言い換えるならばそれは、大人の分別を持ち、大人の立場に立ち、大人の責任を負わされてもなお、子供の心を捨てることもしまいこむことも忘れ去ることもできずにいる、腕白小僧たちこそが道を切り開いてきたのだということです。

わたしの身近では、早稲田の探検部出身というと、すぐに船戸与一さんと西木正明さんのお顔が浮かんできます。お二人ともエネルギッシュな作家であり、素敵なおじさまですが（誰だ、笑っとるのは。あ、編集長じゃないか）、いつお会いしても、心に半ズボンはいてるのが見える。虫取り網を持ってるのが見える。知りたいこと、確かめたいことだらけの世界を駆け回りたいと、運動靴をはいた足先をうずうずさせておられるのが、よおく見えます。

あの先輩にして、この後輩たちだ。おお、やってくれやってくれ！　次はどこへ行き、何を調べようとしているのか教えてほしい。今は何を見つけようとしているのか。この前